疯狂的潘朵朵

段立欣 著

北京科学技术出版社

图书在版编目（CIP）数据

疯狂的潘朵朵 / 段立欣著. —北京：北京科学技术出版社，
2010.1
ISBN 978-7-5304-4535-8
Ⅰ.疯… Ⅱ.段… Ⅲ.儿童文学－中篇小说－中国－当代
Ⅳ.I287.45
中国版本图书馆CIP数据核字（2009）第243318号

疯狂的潘朵朵·潘朵朵的魔幻日记

作　　者：段立欣
策　　划：田晓昕
责任编辑：田晓昕
装帧设计：张　茜
图文制作：博雅思
责任印制：张　良
出 版 人：张敬德
出版发行：北京科学技术出版社
社　　址：北京西直门南大街16号
邮政编码：100035
电话传真：0086-10-66161951（总编室）
　　　　　0086-10-66113227（发行部）
　　　　　0086-10-66161952（发行部传真）
电子信箱：bjkjpress@163.com
网　　址：www.bkjpress.com
经　　销：新华书店
印　　刷：三河国新印装有限公司
开　　本：880mm×1230mm　1/32
印　　张：6.75
版　　次：2010年1月第1版
印　　次：2010年1月第1次印刷
ISBN 978-7-5304-4535-8/I·109

定　　价：16.00元

序

一只特立独行的猫

安武林

段立欣是一个另类的儿童文学作家，是一只特立独行的猫。她很早就出名了，是我们所说的那种脱颖而出的少年作家。后来她到《中国少年报》做编辑去了，把自己的写作放在了一个次要的位置上。但她没有停止，只是天女散花一样在各种少儿文学期刊上发表短篇的作品，童话和小说都有。

在儿童文学作家之中，男女作家差别是很大的。男作家个个都像巴尔扎克一样，雄心勃勃，企图用手中的笔（现在应该是手下的键盘）征服这个世界。而女作家就显得轻松从容多了。她们吃喝玩乐，一边享受着生活，一边像淘气的儿童一样随心写下自己的生活，也可以说是虚构的儿童生活。段立欣就是其中的一个。

段立欣是个绝对自我的人，喜欢沉浸在自己酿造的氛围中。我劝过她很多次，你好好经营一下自己吧。你看别人的名利如云卷来，你不着急吗？段立欣总是笑笑说："急什么呀，不着急。"在她看来，能写着，就是快乐的，就是满足的。

段立欣的身上有着儿童天然的东西，这种东西是个性，是天性，或者说是心理。当她雄赳赳气昂昂地去学校和孩子们在一起做活动的时候，我很怀疑她扎在这些学生们中间能否被别人认出来。这不是一滴黑色蓝色或者红色的墨水放进脸盆中，而是说她本身也是一滴清水。她很能把自己融化在孩子们中间。

她的作品和那些畅销的儿童文学女作家没有什么区别，甚至还写得更好些。但这个时代是很奇怪的，写得好些的人不一定会有大名大利的收获。就像好心不一定有好报一样。那要看你是否能撞上大运，能不能畅销就像是摸彩票，运气好的话你什么都有了。我当然希望段立欣能有好运气。

她的小说，她的童话，都有幽默的成分，夸张的成分，就像儿童疯狂释放自己的能量一样。换句话说，她的作品中有让孩子们着迷的东西。小说中有童话的元素，童话中有小说的元素。从这个意义上说，就有了我们说的可读性，或者说趣味性。尤其是，她作品中的那股锐气和活泼之气令我刮目相看。

她的新书要出版了，本来是要好好写写她的作品是如何地有特色，如何地精彩，能给孩子们带来什么等等。但我觉得实在没有必要。那样容易破坏孩子们的阅读感觉，尤其是会影响孩子们的判断。给这只特立独行的猫写序，我也打破了常规。我想，她一定希望我把序写得长长的，长长的，但我不能，因为小读者已经迫不及待地准备阅读这些书了，再啰嗦下去，就讨人嫌了。

目 录

红色娘子军 …………………… 7

竞选"关灯员" …………………… 13

纸条嗖嗖嗖 …………………… 21

红袖添乱 …………………… 27

疯狂的潘朵朵 …………………… 35

听说有人红了 …………………… 43

跳绳比赛惊心动魄 …………………… 49

满屋子的香蕉 …………………… 57

临时插班生 …………………… 63

阿西瓜号顺利升天 …………………… 71

你手机，我手机 …………………… 77

干了一架 …………………… 85

牛肉脯减肥记 …………………… 93

肉不啄不成饼 …………………101

吹一口气 …………………109

目 录

风筝挂在太阳上 …………………… 117

超2健忘症 …………………… 125

"完美"的说明书 …………………… 133

呲啦呲啦语 …………………… 139

暗语不变 …………………… 147

倒霉，家长穿帮了 …………………… 155

尖嗓门公开赛 …………………… 163

五脏六腑七上八下 …………………… 171

外星人光临 …………………… 179

考恐龙学家 …………………… 187

操场裂成两半 …………………… 193

秘密计划ING …………………… 201

耳朵冻掉了 …………………… 207

红色娘子军

5月2日

天气：天空飘着奶油爆米花

心情：嘎嘣脆

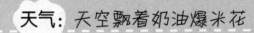

"和他们拼了，上炸弹！"班长挥舞着拳头，义愤填膺地说。我们这支红色娘子军已经跟对方僵持了整整半个钟头，这样下去，时间肯定来不及了。就在这危急关头，班长果断地吹响了"拼命"号角。

　　"可我们就这么一个炸弹了。"我眼巴巴地看着眼皮底下的一个炸弹，看看战场上的一片狼藉，再看看对方狰狞的笑容，只能咬着牙说："好，就和你们拼了。"

　　"砰！"的一声。一股烟雾从桌面冒了起来，盛开在教室顶端，像一个小型的蘑菇云。在场的人都惊了。

　　古话说的好：男生女生的战争是永远不会停止的。

　　"不带这么玩的。"曹操从烟雾中抬起头，狠狠地打了个喷嚏说，"哪有这么玩陆战棋的，用炸弹炸工兵？"

　　"我们乐意。"这下我和班长蓉儿高枕无忧了，我悠闲地往椅子背上一靠，蓉儿也开始继续吃她的鳕鱼三明治。

　　教室里怎么会有战火纷飞的场面呢？那是因为我

们在玩仿真陆战棋。

此刻我方的军旗在大本营里呼啦啦飘扬，围在周围的三颗地雷无聊地哈欠连天，就差围在一起打扑克牌了。大家都知道，陆战棋的玩法是，我方的地雷只能由对方的工兵来解除，而现在男生的小工兵，已经被我们女生统统消灭掉了，看他们还拿什么夺我们的军旗。

"那你们也赢不了！我们还有军长呢。"曹操身后的牛肉脯说。他本来叫牛若蒲，但我们女生喜欢叫他牛肉脯。

"没关系。"蓉儿说，"我们不赢，反正你们也赢不了，最多是和棋。"

男生这时候才意识到自己上当了，因为他们早就在黑板上立下军令状，上面黑底白字写得清楚，如果男生今天赢不了女生，整个教室的卫生都由他们搞定。

"和棋可不算赢哦！"我提醒他们。

以曹操带头的男生暴跳如雷，"你们一个班长，一个纪律委员，合起伙来欺负我们男生！"

我摇摇头说："快扫吧，一会教导主任来查卫生，卫生流动红旗要是流走了，可是你们的错。"说完，我们就去操场上跳皮筋了。

男生虽然不服气，可还是得接水、擦地、摆桌子。

别误会，我们可不是什么魔法学校，是和你一样的普通小学。每天有写不完的作业，有头疼的考试，有体育达标和严厉的教导主任。但在这些普通中，我们又有一点特殊。

特殊表现在：我们班同学都有特殊功能，不是会隐身，就是有橡胶腿，最差的也能拿手指头当橡皮用。

就拿曹操来说吧，他是男生里最淘气的，就因为他淘气，有一次他把老师用来擦玻璃的"玻璃水"当成某种纯净水偷喝了。虽然没中毒，可这之后他就发现，自己具备了想透明就透明的玻璃功能。

疯狂的潘朵朵

　　再比如说我，我叫潘朵朵，我是班级里相对正常的女生，我不会变身，只会跟着动画片里的孙悟空学习"噗"。孙悟空"噗"地一吹，猴毛就变成了猴子猴孙。我"噗"地一吹，头发就掉在地上找不着了。

　　不过我不泄气，天天练习。"噗"地一吹，粉笔末进了眼睛；"噗"地一吹，纸飞机上了天；"噗"地一吹，圆规跳开了华尔兹；"噗"地一吹，同桌曹操的头发变成火把了！看着曹操一头扎进水盆里，我感慨万千，欧阳横飞老师说的真对，只要刻苦练习，总有一天会成功。

　　如果你也想特殊一点，那简单，和我们一样多练习。但是，这种特殊最好不要让别的班的同学看出来。

　　说了这么多，就来看看教室打扫得怎么样了吧！男生在教室进行了人工降雨后，牛肉脯用他那双可以吸水的大脚板在地上走了一圈，地板顿时变得干净无比。牛肉脯这一点特别让我羡慕，他的大手大脚可以变化成吸尘器、大拖布、红砖头等各种东西。

"不错嘛，100分！"班长蓉儿满意地说。我们玩得满头大汗回到教室，教室已经焕然一新了。

"哼，别臭美！明天的比赛本大王让你们女生找不到北。"曹操朝我吐舌头，我觉得他更像一只哈巴狗。

"吓唬谁呀！"我把毽子放进书包里说，"我本来就找不着北。"

这时候，一只流着口水的小狗在使劲咬我的裤子。

哎呀，忘记说了，在我们特殊的教室里，一旦把别人想象成什么，他就可能变成什么。

"不好意思，我忘记了，乖啊！"我摸摸变成哈巴狗的曹操，撒腿跑出教室。只听见小狗曹操在教室里气愤得汪汪大叫。

变化中的人是不能出教室的，看来可怜的曹操要再等上半个小时，才能背书包回家了。

竞选"关灯员"

5月13日

天气： 微风吹动柳树的长发

心情： 乐呵

曹操说的"明天的比赛"其实就是今天的评选，简单地说是"关灯员"和"关门员"的评选。他们男生扬言，一定要把这两个光荣的职位拿下，结束女生顶了大半个天的不平等时代。

　　要知道，关灯员、关门员也是很光荣的职务啊，可以管理八盏灯或者两扇门，一点都不比小队长差。

　　于是，男生为了这次评选做了好些工作。他们先是买来 N 多巧克力贿赂女生，请女生多投他们几票。

　　"巧克力？会胖的。"女生利用下课的一点空闲都要抓紧时间吃几块减肥蛋糕，哪顾得上吃这么高热量的零食啊！

　　"巧克力？给我的？"有些女生不相信男生会那么好心，估计这巧克力里一定有爆炸粉什么的，吃了以后，脸就被炸成晒伤妆了。

　　见贿赂无效，男生们干脆自己把巧克力全分吃了。语文课，他们都是龇着一口黑牙念的课文。

接着他们又开始威胁女生。音乐课的时候，曹操仗着自己是透明人，穿着教室后面的备用雨衣在课桌间来回跑。我们能看到的，就是一个雨衣在教室里飘飘悠悠，确实有些可怕。

曹操跑到胆小的女生耳朵边颤巍巍地说："我是幽灵，不选男生，当心鼻子掉。"这么一说，还真吓哭了两个女生，她们没控制好自己哭声的分贝，结果把教室的玻璃震碎了。

看到玻璃又碎了，脾气火暴的音乐老师二话不说，蹬蹬蹬几大步走过去，一脚把"雨衣"踩在脚下说："谁干的，不想上课就出去。"男生顿时都缩回了脖子。

班长蓉儿用透视眼拍了一张数码相片递给我，照片上的曹操在雨衣里，被踩得龇牙咧嘴，我笑得差点抽了筋。谁让他们男生想通过不正常手段来竞选呢，活该！

蓉儿是班长，要经常向老师汇报班级情况，为了真实可信，她练就了一双可以透视，还能捕捉各种动态的拍照眼睛。

"人倒霉，打喷嚏都能闪了腰。"曹操揉着腰在座位上现了身，像个可怜的小老头儿。

终于到了下午第二节班会课，正式选举"关灯员"和"关门员"的时刻到来了。

班主任欧阳横飞老师大声宣布："请把你心目中的名字写在小纸条上，每人写两个名字，多写或者少写的选票无效。"

丁一把胳膊抻长，从最后一排伸过来，拍拍曹操的肩膀。曹操看到他手心里写着："我们都选你，你也要写你自己，这叫重点推荐。"

曹操顿时充满了信心，探头问我："你说，可以写两个自己的名字吗？"

"随便，反正你们男生喜欢作弊。"我斜了他一眼，把中间那条粉笔线又加重了一次。

"芝麻大的小心眼，这叫什么作弊？"曹操提高嗓门说，"我这叫自信！"

因为男生的统一战线，曹操的名字果然上了黑板。男生们热血沸腾，以至于教室温度骤然升高，欧阳横飞老师把空调开到18度，还热得直冒汗。

女生中我们推荐的是于小巧，因为她做事很认真。平时为了不让老师吸进更多的粉尘，空气里的粉笔末都是于小巧负责收集起来，然后统一拿到垃圾箱丢掉的。她有一双虽然近视但是能放大一切东西的眼睛，男生都叫她显微镜。

投票结束后，获得票数最多的前几位同学，开始进行竞聘演讲。

"于小巧！于小巧！"我们大声尖叫着。

于小巧推了推自己的眼镜说："我演讲的内容是，无论是关门还是关灯，都要有耐心，都要有好眼神，这样就不会忘记一盏灯，也不会被门夹到手。"

多好的演讲啊，我们女生热烈鼓掌！

轮到曹操竞聘演讲了，他信誓旦旦地说："我关灯的速度是飞快的，这样可以有效地节约用电。"

"哦？有多快？"欧阳横飞老师好奇地问。

"比不上CPU，也比刘翔快。"曹操说着用他的玻璃手指打出了一串火花，啪，灯顿时开了。他再一打响指，啪，灯又关了。

为了证实自己的关灯速度快，曹操在几秒钟之内，让天花板上的日光灯开关了38次，最后，终于有两盏灯"哎哟"一声，心脏病突发，不亮了。

欧阳横飞老师仰头看看灯，再看看傻了眼的曹操，用绅士般平静的语调说道："关灯员由于小巧担任。"

"那关门员呢？"丁一急了，"我可是最合适的人选。"他说着把腿伸长了十几米，正要表演一下关门，教导主任忽然推门进来说："你们班门口的……"啪叽！话说一半，他就被一条长腿绊了个大马趴。

于是，丁一什么也没竞聘上，就被严厉的教导主任带走了。

"那，关门员就由关灯员担任吧。"欧阳横飞老师说，"同意的请举双手。"

这下我们女生又获胜了，因为男生少了一个人，自然少了两只手。

纸条嗖嗖嗖

5月27日

天气: 雨后有美丽彩虹桥

心情: 那叫一个美

我觉得上课传小纸条是很幼稚的，因为我们都四年级了。可是，有些事情，必须要靠小纸条来帮忙。

　　比如坐在第一桌的小米，她今天上课就传了张纸条给我。这张纸条沿途经过蓉儿的透视眼拍照；递给哈智慧后，被他克隆成了99张，漫天飞舞；于小巧用显微镜眼睛找到了其中最原始的那张递给牛肉脯；牛肉脯却把它变成了自己最爱吃的牛肉脯；刚要递给我，又被坐在最后一排的丁一伸手抢过去看了一遍，最后才被我的后桌捏成猪八戒形状，传到我的手上。

　　经过这顿折腾，我只能先把小纸条"噗"地一吹，先恢复原状，才知道小米要跟我说什么。

　　就在这时，曹操忽然举手说："报告老师，纪律委员传小纸条。"

　　我的脸一下子红了，这个家伙，又故意找茬。

　　欧阳横飞老师走到了我们面前，伸出了大手。我眼巴巴地看着他，没有其他选择，只能把小纸条交了

出去。我有了种出卖朋友的感觉。

曹操在一边捂着嘴笑，笑得屁股在椅子上一颠一颠的。

"美什么美，像个巴西跳豆。"我小声嘀咕着。于是，后半截儿课，你会看到一个硕大的巴西跳豆在我旁边，边跳边写作文，还不忘愤怒地拿脚踹我的凳子。这就是我们班，随口说出来的事情，很可能就实现了。

什么？你问那个纸条怎么样了。哦，真不好意思，你不说我都快忘记了。

欧阳横飞老师从我手里拿走纸条看了一眼，刚开始他眉头还锁在一起，头顶上聚集着一大团浓浓的阴云，就这一眼，顿时就让乌云散开了，教室顶上还挂起了彩虹。

曹操一看这种情况，就知道事情不像他想的那样了。

果然，欧阳横飞笑得像朵盛开的牡丹花似的，说：

23

"谢谢大家的关心。"

其实我根本不知道纸条上写了什么，我还没来得及看呢。

直到蓉儿把那张拍好的照片从桌子下面传给我，我这才舒了一口气。

原来小米在纸条上写的是：欧阳老师的嗓子哑了，咱们得想想办法。

这一节课，我们的教室顶上都挂着彩虹。

下课后，曹操为了报复我刚才把他想成了巴西跳豆，故意把自己变成玻璃人等着我，害得我从厕所跑回来一进门就撞在他的大屁股上，反弹到地上。我咬咬牙没吱声，站起来往座位走，又被他伸出的透明脚绊了个跟斗。接着我开始手舞足蹈地哈哈大笑，那是曹操在后面挠我的胳肢窝呢！

我抽风一样的举动引来同学一阵笑声，尤其是男生，大张伟笑得像融化了的冰激凌一样，在地上流淌。

我忍无可忍了。

“曹操，我给你告老师。”我对着空气说。

空气对着我说：“你告呀，我不怕，你们女生就会打小报告。”

这个笨曹操中了我的计，我只是要确定一下他的位置。于是，我朝着声音的方向“噗”地吹了一口气，曹操顿时变成了一玻璃杯冒着热气的开水。

“叫你使坏。”我幸灾乐祸地把“曹操”放到欧阳横飞老师的讲桌上，“小米不是说老师嗓子哑了吗，你正好可以做好事，帮老师润润嗓子。”

杯子里的热水咕嘟咕嘟地冒着泡泡，我知道那是曹操在骂我。哼，我才不和男生一般见识呢。

其他同学见我给老师桌子上放了杯开水，也纷纷把自己的杯子接满热水放在讲桌上。大家都这么关心老师，真让人感动。

欧阳横飞老师踩着铃声走进教室后，被桌子上满是冒着热气的水杯惊呆了。他感慨地用目光谢过大家后，发现了一个比较棘手的问题，自己的教案没地方放了！

这时，号称我们班 CPU 的哈智慧想出了办法，他最擅长的就是修改物体的 DNA。只见他用手指敲了几下桌面，水杯里冒出的热气顿时变成了固体。

"只是改变一下它们的 DNA 排列，这很简单。"哈智慧眉毛轻挑，保持着他一贯骄傲的神情说道。

这下子，教案可以直接放在冒出的热气上了。只是略微有点高，欧阳横飞老师需要踮着脚尖才能看到。

红袖添乱

5月30日

天气：天空有朵雨做的云

心情：乐得屁颠屁颠

"我要做 A。"蓉儿恨不得站到桌子上说话，要不是顾忌到自己的班长身份，她一定会使用暴力让哈智慧听她的话的。

"凭什么我是 P ？"我也在哈智慧桌子前抱怨，"多难听啊！"

"你不是叫潘朵朵嘛，第一个字母就是 P 啊！"哈智慧好像很为难。

"哼，我还是觉得你是故意的。"我临走时对着哈智慧的橡皮吹了一口气，把他的橡皮变成了一个长在桌子上的仙人掌。

"P，哈哈哈！"曹操笑得连椅子一起栽到了后面。他爬起来继续笑："原来阁下就是 P。"

"有什么好笑的，等你需要用到我的 P 时，我还不借给你呢。"我撇撇嘴说。

牛肉脯刚吃完一把扫帚，当然，是被他变成牛肉脯的扫帚。这已经是本学期我们班失踪的第 28 把扫帚

了。他边用风扇一样大的手掌拍着肚子边说："P可不怎么样，我是N。"

"N有什么了不起。"我准备朝他吹一口气，牛肉脯快速抬起他的大脚板，有屏风那么大，我吹的气全被挡住了。

"于小巧是Y，曹操还是C呢。只有我的大写字母这么难听。"我不满地嘟囔着。

这节本来是电脑课，可老师们正在多功能教室开会，我们只能改成在教室里上自习课了。

号称我们班CPU的哈智慧不太高兴，他最喜欢上电脑课了。于是他提议说："如果我把黑板改装成显示屏，你们愿不愿意上电脑课？"

"那当然！"我们都举双手赞成。

"那键盘呢？"丁一把手从最后一排伸到最前面，摸了摸已经变成了液晶显示屏的大黑板。

"很简单，我们每个人就是一个按键。"

于是我就被分配成了字母 P 的按键。虽然刚开始我不太满意，可是操作起来还是挺好玩的。比如我们输入：BAIDU，那这几个同学就依次拍桌子，然后黑板上出现了百度的搜索网页。

曹操一激动，忘记自己现在是键盘了，高兴得使劲拍桌子。搜索栏里就出现了一排 C，哈智慧拍了一下自己的桌子，他的桌子是确定。

别说，这一排 C 也搜索出了不少东西。

这可太有意思了。不过，全班同学用一台电脑，肯定会出现一点小问题。这不，上课不到十分钟，我们就争了起来。

班长蓉儿说："我在新浪有博客，大家去看我的博客吧。"

"我可以教你们制作会动的头像。"曹操喜欢聊 QQ，他的头像都是自己设计的。

我也不甘示弱："红袖添香好玩，我在红袖添香发

表过文章。"

"什么是红袖添香？"大张伟忽然在我脚下说话，吓了我一跳。我根本不知道他是什么时候"流"到这边来的。

大张伟可以随时把自己化掉，像冰激凌融化一样。当然，不光是这个，他还会人工降雨，我们班擦地全靠他了。

"你也太没文化了，红袖添香是个很著名的文学网站。"我低头跟大张伟说。

"哎，作文网呀。"大张伟又流走了，边流淌边说："贴作文谁不会。"

等到融化的大张伟整个身子都流到自己的座位上，又恢复成"结实"的大张伟后，我忍不住跑过去告诉他："红袖添香可不是随便贴的，有网络编辑审核才行。"

"纪律委员下地了！"大张伟手舞足蹈地大叫，吓得我赶快回到座位。

"有本事你也发表篇作文啊！"我坐在座位上朝他喊。

我们两个这一较劲，全班同学都兴致勃勃地想看看自己能不能发表作文。哈智慧就组织我们打出了"红袖添香"的网址。

以下是大家往红袖添香里贴的东西：蓉儿用眼睛拍的照片，于小巧放大的粉笔末切面图，哈智慧的《关于一个响嗝的 DNA 调查报告》，曹操写的日记《如何成为一个玻璃人》，哈志强听到的关于植物对话的翻译文稿，牛肉脯把减肥经验都贴上去了。

我们都在静静等待着，看看谁的帖子能被发表。

忽然，网站"噗"地一下无法显示了，电脑显示屏像糊了的炒锅一样，冒出了一股黑烟。"不好！"丁一向来反应迅速，他快速把一盆水从教室后面的卫生角举到了黑板前，"哗"的一声泼了出去。

　　"等等！"哈智慧及时把水的DNA变成了冰，冰块稀里哗啦掉了一讲台。

　　"显示屏用水一泼就坏了。"哈智慧说着，"让我再来试试。"

　　哈智慧把全班的键盘组合到自己的桌面上，噼里啪啦一顿敲，网页再次打开了。

　　我们兴奋地盯着显示屏，终于看到了网络编辑的留言：稀里哗啦，内容复杂，错字太多，看不懂啦！欢迎下次再来发帖。

　　"唉……"大家都失望地叹了口气。我不觉昂起了头。看看，我说他们的作文都不行吧，净给人家红袖添香添乱了。

疯狂的潘朵朵

6月1日

天气：云朵像撑开的大蘑菇

心情：乱糟糟一团

今天没有什么特殊的事，我们也没有变来变去的捣乱。只是哈智慧在手工课的时候，不小心让四肢和身体分了家，他好不容易才把自己 DNA 的序列号找回来，让四肢和身体重新组合在一起。可他的脑袋比较有个性，不太喜欢听从安排，它把自己贴在日光灯上，像个大灯笼，直到累了才降落下来。

其实这没什么，一点也不可怕。

今天的数学课也没什么意思，老师讲的那几个方程式我早就会了。于是我用胳膊肘碰碰曹操："咱俩玩飞机大战啊？"

"好。"曹操点点头，他最喜欢和纪律委员一起违反纪律，这样可以保证不被告状。

我们把圆珠笔和尺子放到各自的桌子上，数学书正好可以挡住我们。我对着放在桌子中间的尺子"噗"了一口气，它就变成了桥，谁先炸断桥谁就赢。

"噗"，我又对着我们的圆珠笔吹了一口气。"嗡"，

它们就变成飞机起飞了。

"陆地注意，陆地注意，现在是低空飞行，前进！"曹操嘟囔着。

"别让你的飞机拉线，会被老师发现的。"我提醒对方的飞行员。曹操点点头。

陈柯汗真讨厌，就在我们玩得高兴的时候，他派他的飞机突然进攻我们，我们的大桥被这个破坏大王给炸断了。

"我们又没带你玩。"我瞪着他说。陈柯汗回头朝我吐舌头，还故意把桌子弄得乒乒响。

"谁不好好听课，又在做小动作？"数学老师忽然走过来大声说，吓了我一跳。刚才为了不被老师的声音打扰，我们都把耳朵转到后面去了，根本没听见她走过来的脚步声。

数学老师没收了曹操的尺子，还说真弄不明白，一个断了的破尺子有什么好玩的？

我狠狠瞪了陈柯汗一眼，要不是他忽然袭击，我们的大桥才不会这么快就断了呢！

　　下课后，陈柯汗的死党丁一想伸长脚来绊我，我跑到了墙上，没让他得逞。

　　"你赔我大桥。"我对着陈柯汗嚷嚷。

　　"是你自己笨。"陈柯汗用手指头点着我的额头说。

　　我也点他的额头。我们这样互相点来点去，手指越点越长，都顶到教室顶上了。

　　蓉儿紧张地说："当心，别弄我一头土。"

　　"别想欺负我们女生。"我敲一下房顶说，"我的噗本领已经很强大了。"

　　"别想欺负男生。"陈柯汗也敲房顶，"班干部有什么了不起的。"

　　我们这样敲来敲去，忽然楼上的同学把房顶拉开了一条缝说："你们班干嘛敲我们班的地板？"

　　"这是我们班的房顶，我们爱敲就敲。"陈柯汗仰着

头说，样子很威风。于是我也加入了他的队伍，说："就是，不关你们班的事。"

楼上班的同学大叫："谁说的，这是我们班的地板，就关我们班的事。"

于是我们吵了起来。我一直不知道，原来别的班的同学也有特殊本领啊。

楼上班的同学把粉笔头变成闪光炮，扔下来炸我们，把好多同学的文具盒和本子都炸到了地上。还好我很灵活，没被炸到。

大概是我们吵架的声音太大了，教导主任走了进来。教导主任特别厉害，他是专门管纪律的。

楼上的同学很狡猾，教导主任刚进来，他们就用最快的速度把我们的屋顶、他们的地板合上了。

"又在教室里打闹！"教导主任说，"看看教室被你们闹的，乱七八糟。"

结果我和陈柯汗被罚抄写五十遍："我们不该乱扔

老师的粉笔头。"我们解释说是楼上那个班扔的，教导主任说："撒谎就再抄写一百遍。"

哎，真倒霉。

我觉得我应该乖一些，怎么说我也是女生，还是纪律委员。我决定下课后只和女生玩。

可曹操他们非要过来偷听我们说话。我只能对着小镜子里的自己"噗"了一口气，我的大门牙就变得又长又尖了。

"我是狼人……"我怪叫着，"谁来捣乱就咬谁。"曹操赶快把自己变成不怕咬的玻璃人。

"潘朵朵，你在干什么？"忽然有人在身后说话。不好，是欧阳横飞老师的声音。我的牙齿还没变回去呢，这可怎么办？我只能假装脚下一滑，把我的狼牙撞到了桌角上。

大门牙被撞掉了，还流了一点血。

"老师，我的牙掉了。"我假装哭了几声，张开嘴让

老师看我空空的牙床。

　　欧阳横飞老师连忙安慰我说："别怕，小学生换牙很正常，旧牙掉了，新牙很快就会长出来。"

　　我点点头，回到我的座位上去，又瞪了一眼陈柯汗。

　　不过，也怪我没有找到合适的机会把狼牙变回去。看来，只能以后慢慢再把牙齿"噗"出来了。

听说有人红了

6月7日

天气：一朵云连一朵云

心情：乘以两倍的兴奋

“朵朵，听说你们班有人参加小学生歌唱大赛了，一下子就火了。”隔壁班的女生叫住我说。

“什么火了？”我一时没明白。

“火了你都不懂？”那个女生大笑起来，“火了就是红了，你们班的那个同学红了。”

趴在桌子上利用课间十分钟打盹的小米迷迷糊糊地伸长了耳朵，她的耳朵像天线一样转来转去，调整方向，却只听到了后半句——“就是红了，你们班的那个同学红了。”

什么？有人红了？小米跳了起来。她可是我们班的八卦女皇，什么小道消息都逃不出她的耳朵。这不，小米第一时间把这条消息告诉了于小巧。

“有消息传，咱们班有人红了。”小米对于小巧说。

“有消息传，咱们班里有人红了。”于小巧推着眼镜，认真地对丁一说。

“听说了吗？咱们班有人红了。”丁一把这个消息写

在手心上，伸到班长蓉儿脸前。

"什么？"蓉儿回过头去大惊小怪地问，"有人红了？怎么红的？"

坐在最后一排的丁一可懒得走过来，他又伸过来另一只手，手心上写着：不知道，没准是掉到染缸里变红的吧。

"你知道么？咱们班有人掉到染缸里了。"蓉儿对来请教问题的大张伟说。

"呀，掉到染缸了？"大张伟吓得一哆嗦，化成了冰激凌，咕嘟咕嘟地说："没呛到吧，谁这么不小心？"

蓉儿耸耸肩："不知道，只听说变红了。"

于是大张伟像小溪一样，飞快地在课桌间流淌着说："咱们班有人被呛到了，整个人都憋红了。"这样的传播速度可真快呀，一下子，坐在教室里的同学都知道了。

"整个人都是红色可不太好看。"哈智慧可以调整

45

DNA，他琢磨着怎么才能让染色体发生变化，好帮帮这个憋红了的同学。

曹操主动变成透明人，来做哈智慧的实验品，我们都被他的献身精神感动了。

我对曹操说，我觉得你现在真像个男子汉了。曹操挤挤眼睛说，他最近超级喜欢吃西红柿，所以想体验一下全身变红的感受。

说变就变。哈智慧先把曹操的染色体调成了红色。哈！曹操红得像正月十五的大红灯笼。

不能这样一直红下去呀，于是哈智慧开始一点点调试。

可惜他的实验也不是百分之百成功的，于是曹操变成了交通信号灯上的绿色，龙眼葡萄的紫色，老外眼中透出的蓝色，比煤球还黑的黑色，猛犸象长毛的棕色……总之，曹操整个人就像霓虹灯一样多变。

我们都惊讶地围在旁边，给哈智慧喊加油鼓劲，

希望他能尽快把曹操变回原有的肤色。

　　只有馋嘴的牛肉脯不是这么想的，他在曹操变成香蕉一样的黄色时，终于忍不住把曹操变成了牛肉脯。他还说这是抹了香蕉酱的牛肉脯，味道一定特别可口。

　　变成黄色牛肉脯的曹操急得说不出话来，就在他马上要被牛肉脯一口吞掉时，多亏我噗了一下，曹操才变了回来……

　　不，也不是完全变了回来，"噗"的时候我脑子里想的是蓝莓，结果曹操变成了一颗硕大的蓝莓。

　　于小巧凑过去，用她的显微镜眼睛仔细放大了蓝莓的表皮，结论是："有些粗糙，有可能是生长过程中缺少水分。"

　　"水分我有啊！"这个问题难不倒大张伟，他开始在教室里进行人工降雨，来给蓝莓补充水分了。

　　这下班里可乱了套，牛肉脯赶快用他可以吸水的大脚掌擦地，而大家为到底谁红了的话题，争论得越来越凶。

"你们在说我吗？"刚刚走进班级的陈柯汗昂头挺胸地说。

"别捣乱，我们说的是去参加小学生歌唱大赛的人。"小米说，"不是评选破坏大王。"

陈柯汗摇头晃脑地说："没错，我去参加小学生歌唱大赛了。"

啊？我们顿时安静下来，所有目光都落在陈柯汗身上。陈柯汗也不会唱歌呀，而且他全身上下，没有一丁点红的迹象？

"是这样的……"陈柯汗不好意思地说——

原来破坏王确实去参加了小学生歌唱大赛，虽然他唱得不怎么样，但他很成功地在唱到第三句时把麦克风震坏了，这给在场的所有观众留下了深刻的印象。

于是，在这次歌唱大赛中，他红了。

跳绳比赛惊心动魄

6月14日

天气： 闷葫芦天

心情： 油腻腻的

下午要进行跳绳比赛，这节体育课我们要好好训练！

之前的足球赛和排球赛我们班都是倒数第一，这次如果再不拿个正数第一，别说欧阳横飞老师了，我们自己也要挖个大地洞，集体钻进去夏眠了。

小米气喘吁吁地跑到操场上报告说："据可靠消息，这次跳绳比赛分为跑跳、花跳、原地跳和跳大绳。"

"消息准确吗？还有跳大绳？"哈智慧不解地问，"那是迷信！"

"跟你这种不爱运动的书呆子没法交流。"

哈智慧被说话的人撞了一个趔趄。用肚脐眼想也知道，一定是隐身的曹操。

哈智慧站稳脚跟，不服气地对着空气说："跳绳嘛，小意思，你们等着瞧。"说完就跑回教室敲桌面去了。

真不知道跳绳比赛和 DNA 有什么关系？我们觉得，要想得第一名，抓紧训练才是关键。

　　"我的身材最适合参加跑跳！"我高高举起手，毛遂自荐！

　　空气中一个声音说道："没错，潘朵朵是明星身材。"

　　我一愣！

　　曹操学校生活的大部分时间都是以和我对着干为乐趣的，今天怎么忽然学会表扬我了？一定有诈。我小心翼翼地转向他刚才说话的方向，时刻准备在他突然袭击我时回击他。

　　"我没听错吧！"我说，"你是说我有明星身材？"

　　"没错，家喻户晓的大明星。"

　　我被说得心里美滋滋的。

　　曹操接着说："说出来大家都认识，哆拉A梦嘛！"

　　"你你你！"我气得说不出话来，刚想对着曹操噗地一下，把他变成哆拉A梦，他已经大叫着："我参加跑跳还差不多。"一根红色跳绳自己挥舞起来，飞快地

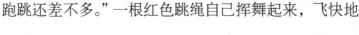

51

跑没影了。

"曹操参加跑跳也不错。"蓉儿看着自动计数器说，"他平时就喜欢拿着跳绳跑来跑去。"

我心里暗想：哼，大多数时间他都拿着跳绳跑来跑去地绑人玩。不过我没说出来，我才不要男生说我爱告状呢。我不跟透明人一般见识，其他跳绳项目，我照样可以参加。

至于原地速跳，不用说，最擅长的当然要数飞毛腿丁一了。

他活动了一下长胳膊长腿，拿起一根专用的黄色长跳绳，准备测试速度。

丁一果然不负众望，跳绳被他的面条胳膊甩得呼呼作响，由线连成了面，很快，一个黄色的大圆球就把他裹了起来。我们几乎看不清丁一的脚跳得有多快了，只能听到啪啪啪的声音。

"这样的速度不得第一才怪了呢！"蓉儿拿着自动

计数器，兴奋地看着上面的数字飞速变化。

我点点头，说："嗯，没错，除非……"

我真不该说这句话，话音还没落，"除非"的事情发生了。因为丁一跳得太快，胳膊和腿被越抽越长，结果当他跳到543下的时候，长腿长手终于像线团一样缠绕在了一起。

"救命呀！"随着丁一的尖叫，巨大的线团滚了过来。

眼看线团要撞破学校大门，滚到马路上去了。就在这危险时刻，牛肉脯勇敢地站在了大门中央，把整个大门撑得满满的。他用力挺起肚子，再伸出两只蒲扇一样的大手。

砰地一下！

还好，有惊无险，滚过来的"丁一牌"线团被弹了回去，慢慢停了下来。

只是他缠得太紧，像个木乃伊一样，连细心的于

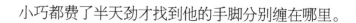

小巧都费了半天劲才找到他的手脚分别缠在哪里。

在于小巧帮丁一"松绑"的时候，我们抓紧时间练习跳大绳。

牛肉脯和蓉儿摇绳，大张伟、我和小米钻绳。

大张伟先钻了进去，还拿着根小跳绳双手交叉编花，成功地跳了十几下。我和小米也跳了进去。我们步伐一致，跳跃轻盈，心里都美滋滋的。我想着：这样完美的配合，简直就是无懈可击！只要大张伟不骄……

都怪我乱想，大张伟真的骄傲了。他一骄傲就快速融化，我和小米停不下来，只能硬着头皮继续跳。

结果可想而知，每跳一下，就会有大批泥点子溅到我们身上，害得我们像梅花鹿一样。

更糟糕的是，牛肉脯在摇跳绳的时候饿了，偷偷把跳绳的木头把变成牛肉脯吃掉了。

其他班同学见我们几个"梅花鹿"在练习跳绳，都

嘻嘻哈哈地窃窃私语。

"背后瞎议论，算什么本事。"小米忍不住伸长耳朵，结果挂到了抡圆的跳绳上，疼得她一声惨叫。牛肉脯没有了跳绳把，手中的绳子也一晃，"啪"的一声，跳绳飞到了我的脸上，我的脸上顿时鼓出来了两条红印。

我疼得眼泪四溅，大绳只能停下来了。

牛肉脯不好意思地安慰我说："别伤心，像吉卜赛少女的脸谱，挺酷的。"

就在大家一片狼藉的时候，哈智慧拿着一根跳绳跑了过来："看，我改变了跳绳的 DNA，不用浇水就能长出花来，一定能帮咱们班夺得花跳的第一。"

看到这根长满鲜花的跳绳，我哭得声音更大了。

虽然损失惨重，但我们相信只要避免刚才的这些失误，下午一定能获胜。男生们更是挥着拳头说："不赢这场比赛我们就把脚指头吃下去！"

整个上午，只要我们班经过的地方，都笼罩着红彤彤暖洋洋的光芒。这是我们高涨的信心，它像小宇宙一样，即将爆发！

下午，由于下雨，跳绳比赛取消了。

满屋子的香蕉

6月15日

天气: 吹来香蕉味的小风

心情: 美透了

"你是猴儿吧？"下课时，曹操大声说道。

"你才是！"我在他的大腿上来了个麻花十八拧，疼得曹操像弹簧一样跳了起来。

"还说你不是猴儿，猴儿才挠人呢。"

我得意洋洋地晃着脑袋，"这叫拧人，不叫挠人，我看你还不如猴儿的智商高呢。"

"我不如你，我不如你。"曹操连声说着变成玻璃人消失了。

这个家伙，我一不小心又被他绕进去了。

其实，刚才聊天时大家谈论的是自己的愿望，曹操说他想长得和姚明一样高，蓉儿说她想成为女宇航员。我说我的愿望很简单，我从小就爱吃香蕉，希望有一天满屋子都是好吃的香蕉，随便吃。

就这样，我又被曹操嘲笑了。

因为这个话题，语文课时我走神了，一直想着满屋子香蕉的事儿。这下可不得了。在我们班级，想到

的事儿很可能会变成现实，顿时，我们班里真的堆满了香蕉。

欧阳横飞老师被一大串香蕉挤到讲台的角落里，惊慌失措地大叫道："今天有大猩猩来听公开课吗？"

为了让他不过度惊慌，我只能"噗"地朝他吹了口气，这一招叫"孙悟空定身术"，可惜是暂时的，被噗到的人只能定住 3 分钟。

"快，我们要把这些香蕉尽快收拾掉。"趁这个工夫，班长蓉儿马上站起来号召大家。

我们小孩都会这样变来变去，这像刷牙一样简单。可大人们却觉得不可思议，而且还会被这种变化的小把戏吓坏。真是可怜啊！

不知道大人们有没有小时候，小时候的大人会不会也像我们一样变来变去。总之，我们不想吓坏欧阳横飞老师。

"这可是世界上最好吃的香蕉啊，扔掉太可惜。我看，第一套方案：吃掉它们。"我这个香蕉狂人虽然惹了祸，但还是忍不住大吃特吃起来。

"这也太多了。"曹操边吃边说，"你以为你是永远吃不够香蕉的猴子吗？"

我们的目光同时看向牛肉脯，牛肉脯就是永远也吃不够牛肉脯的牛肉脯。

牛肉脯尴尬地说："嗯，我们还是来收拾香蕉吧。"他说着把大把的香蕉变成了牛肉脯，嘎吱嘎吱地嚼得起劲。

"这样吃速度太慢了，第二套方案，来点速战速决的。"我们班号称最聪明的哈智慧用 10 秒钟时间破译出了香蕉的 DNA，把香蕉的"群居性"序列号毁掉。于是，被调整了 DNA 的香蕉们开始仇恨同类，自相残杀起来。

"快快快，还剩下一分钟了，欧阳横飞老师的手指已经开始活动了。"小米像间谍一样竖起天线耳朵，听

到欧阳横飞老师的手指关节发出嘎巴嘎巴的声音。

于是，更多同学加入了进来。

牛肉脯用桌子大的手掌把香蕉拍扁，破坏大王陈柯汗再把它们搅拌成香蕉泥。我们所有的水杯和饭盒都装满香蕉泥，"香蕉"被藏进了书桌里；细心的于小巧把满教室里的香蕉味儿全都收集起来，放进了空气清新剂的空瓶子里。这样一来，我们班这个学期都会飘着香喷喷的味道了。

那些把欧阳横飞老师挤到角落里的香蕉，曹操拍着胸脯说他来办。

曹操虽然喜欢和我作对，但遇到大人们可能发现我们小孩秘密的时候，曹操还是坚决站在小孩这一边的。他把丁一可以无限拉长的胳膊腿拧巴在一起，很快就编出来一个可以装东西的筐子。丁一被拧巴得吱哇乱叫。曹操把香蕉装进丁一筐子里，偷偷送到学校食堂去了。

最后，地上的香蕉皮全融化了，被大张伟冲出了教室。牛肉脯再用他吸力超强的大脚在地上走上一个来回，教室里就干干净净，没留下一丝香蕉的痕迹了。

等欧阳横飞老师解除了定身术后，他只是看到了一个筐子自己飘了进来，放到了丁一的位置上。

欧阳横飞老师揉了揉眼睛说："你们看到丁一座位上有一个筐子吗？"我们一齐看过去，丁一一脸无辜地看着老师。

"老师，我的座位上只有我呀？"

"那一定是我眼花了。"欧阳横飞老师说，"我甚至还看到了满屋子的香蕉，看来我是饿昏了。"

我们一起点点头。

下课铃声响起，欧阳横飞老师走出教室，"哧溜"一下，滑没影了……

临时插班生

6月22日

天气：白云吹着口哨

心情：轻轻松

大庞说他要挑战一项吉尼斯世界纪录，就是在世界上所有学校的所有班级，上一天课。

于是，今天他来到了我们班。

"你从哪来？"班长蓉儿好奇地问。

"说来话长。"大庞喝了一口可乐说，"其实我的故事要从上个世纪说起，那时我是加勒比海盗，我曾拥有一艘名叫'你猜'的海盗船，乘风破浪，勇猛无敌……"随着他口若悬河的描述，我感觉教室的地板晃动起来。

其他人也感觉到了，好像我们真的站在海盗船的甲板上一样，牛肉脯的裤脚都被海浪打湿了。我们的头顶甚至有一只海鸥飞过，一小撮海鸥屎停在了我眼前。不，准确地说是曹操的头顶上。因为他隐身了，所以只能看到他头顶上的海鸥屎。

我决定先不告诉他，等听完这个插班生的故事再说。

"那你一定年龄很大了？"哈智慧恨不得在脸上写上"怀疑"二字。

"当然不是，我像彼得·潘一样，永远12岁。我可是年龄最小的专业间谍。你们知道吗，我脑子里有一个芯片，是直接……"大庞说着把手指伸向天上，"直接和太阳系中的卫星相连的。我可以获得世界各国的各种情报，你们千万不要背地里说我的坏话，卫星都会反馈给我的。"

"美国总统现在在干什么？"曹操不服气地问。

"管他在干什么，我都知道，不如我们说说秘密基地、宋朝的城门或者世界上最好吃的鸡蛋糕……"大庞绘声绘色地说着，"还有你们操场中心的那个小岛，反正都一样，所有资料我都能收集到。"

丁一摇摇头说："这回你错了，我们操场上没有小岛，只有塑胶跑道。"他说着伸出一只长手推开窗户，可他看了一眼窗外后，连忙把这句话收回了。

我们也都看到，操场中央不知道什么时候真的出现了一个小岛，欧阳横飞老师正坐在小岛唯一的一棵椰子树下钓鱼呢！

　　"好厉害呀！"于小巧羡慕地看了看大庞的头顶，"可是芯片在哪？我只能看到头皮屑。"

　　"能轻易看到还叫专业间谍吗？"大庞摇摇头说，"不过现在我已经厌倦间谍的生活了，我开始尝试着做个气象学家，研究如何制造各种天气了。"他的话音刚落，教室里就打了一声响雷。

　　小米揉揉耳朵，"来点温柔的小雨吧，这样放学就不用擦地了。"

　　"什么？小雨，不，对世界上第一个未成年蒸汽机车司机来说，小雨可不怎么样，我需要的是上好的煤球。"大庞说着一挥手，教室里刮起了一阵风，把马上就要飘落下来的羊毛细雨吹没了。

　　我虽然没有小米的顺风耳，但我绝对清楚地听到

大庞刚才说自己在研究气象，怎么又变成……

"你到底是气象学家还是火车司机？"一股浓烟涌过来，呛得我直咳嗽，"我看你是烧锅炉的吧。"

"千万别咳嗽，我刚从雪山回来，本来我想去找传说中的雪人，但遇到了雪崩，要知道，雪崩就是因为我咳嗽了一下。"

"哈哈哈，吹牛！"男生们指着大庞的鼻子笑得前仰后合。我知道，他们最不能容忍的就是别人比他们强。

大庞不好意思地摸摸鼻子说："好吧，我承认我的鼻子是橡胶的，和你们班丁一的胳膊一样，不过我只有在说谎的时候橡胶鼻子才会长长，所以，现在我没说谎。"

我小心地摸了摸他的鼻子，果然又软又有弹性。

"匹诺曹的鼻子是木头的，也会伸缩。"我说。

"我当然知道，这本书是我写的，我没有告诉你，

67

我是一个作家吗？"大庞说完就噼噼啪啪地打起电脑来，我甚至没有看到，他的桌子上什么时候出现了一台电脑。

随着噼噼啪啪的声音，旁边的打印机上打出了写得满满的一页接一页的书稿。

我羡慕地拿起来读了一段，真的很精彩。

"谢谢你的夸奖。"大庞说。

我吓了一跳，"你怎么知道我想什么？"

大庞面前的电脑忽然消失了，他身后展开了一对白色翅膀："对一个小天使来说，猜透别人的心事就像打哈欠一样简单。"

像电影里的舞台设计一样，我们教室又换成了皇宫的造型。华丽的雕花落地钟，耀眼的水晶吊灯，我们的椅子也换成了宫廷高背红木椅。真是超豪华阵容。只是，这种椅子坐起来有点硌屁股。

"当然，欢迎你来我的宫殿参观，我的另一个身份

是青蛙王子。"

我兴奋地左右观望时才发现，刚才还有很多同学围在这个插班生周围，现在他们都走了，只剩下我还在问这问那，大庞也很高兴回答我的问题……直到上课铃声响了，一切恢复了原样。

欧阳横飞老师夹着一条大鲤鱼走进教室。

我们忍不住笑起来，他才发现自己拿错了教案，满脸通红地咳嗽了一下，岔开话题说："安静，我先来介绍一下。这是临时插班生，他叫大庞，希望大家能和他成为朋友。"

我朝墙角的扫帚噗了一下，变成了一大捧鲜花送过去，作为欢迎他的礼物。大庞腼腆地笑了。

这个临时插班生真的只在我们班上了一天学就走了，但我们已经发现，他和我们一样会变来变去。同学们都说大庞喜欢吹牛，他的特长就是：能把他"吹"出的东西，变成现实。

我觉得这没什么不好，大庞只是喜欢疯狂幻想罢了，我们每个孩子都喜欢想象，这可不是什么错。所以，我要把这个和我做了一天同学的大庞，写进我的日记里。

阿西瓜号顺利升天

7月2日

天气： 玻璃水一样晴朗

心情： 直冲云霄

科学课上，欧阳横飞老师讲道："美国阿波罗号宇航员的脚印至今还清晰地留在月球上，而且，科学家推测，这些脚印完整地保留1000万年都没问题。"

这让我们很不服气，尤其是他们男生。

"有什么了不起，那些像菠萝一样浑身是刺的火箭。"下课后，牛肉脯为了表示愤怒把科学书变成牛肉脯吃掉了，还不忘砸吧砸吧嘴说："我要把所有菠萝都变成牛肉脯吃掉。"

"冲啊！我将潜伏在新一代阿波罗号上，在月球留下我的臀印。"我的同桌曹操变成玻璃人东撞西撞后冲上讲台，结果被丁一从最后一排伸出的长腿绊了一跤，一屁股坐在了讲台上。

还好哈智慧及时改变了讲台的DNA序列号，水泥地才变得像胶泥一样软，曹操的玻璃屁股才没被摔成闪着亮光的玻璃碎片。

"看，臀印。"蓉儿把用眼睛抢拍的照片递给我们女生传阅，讲台上真的留下了曹操的臀印，像个巨大的苹果，逗得我们哈哈大笑。

"笑什么笑，你们一点都不爱国。"也不知道哈智慧哪来这么大的火，噼里啪啦地敲着自己的桌面，一会工夫，黑板上就显示出满满一堆数字。

"我们要制作自己的飞船。"哈智慧拍着桌子说。

"我同意，叫阿西瓜号吧，比菠萝大。支持的举双手！"班长蓉儿说着举起双手，我们女生齐刷刷地举起双手。这次又是我们的票数多，因为男生少了两只手。

"怎么会！男生女生一样多啊！"曹操跳着脚喊。

陈柯汗愤怒地捏碎了一盒粉笔撒在曹操头上，曹操这才显出轮廓来。

"你刚才是看不见的玻璃人，笨蛋！"陈柯汗说完，一颗充满弹性的蛋在地上跳来跳去。他大概忘记了，在我们班说出的话很可能变成现实。

就这样，我们班即将制作的登月火箭就被命名为：

阿西瓜号！

　　大家齐心协力来完成我们的宏伟目标。哈智慧快速改变了教室里一个篮球的 DNA，它变成了西瓜的样子。这个西瓜有一个单人帐篷大小，这让我跃跃欲试。

　　我对着西瓜噗地吹了口气，西瓜上出现了一扇门。细心的于小巧把西瓜籽都清理出去，牛肉脯把网球大小的西瓜籽都变成牛肉粒吃掉了。大块的西瓜瓤放进饮水机里被破坏王陈柯汗轻轻一摇，就摇成了西瓜汁。

　　看，我们小孩会变化多好，没有一样东西被浪费掉的。有时候我真为大人们可惜，他们为什么会在长大后就忘记了如何变化呢？我可一定要小心点，不断练习我噗的本领。

　　想到这里，我钻进了西瓜门，"太棒了，我要成为我们班第一个成功登陆月球的人！"可哈智慧却把我拉了出来。

　　"别着急，现在还是颗空西瓜，我还要安装火箭上

要用的东西呢。"他在阿西瓜里敲敲打打，把那些普通的东西的 DNA 序列号改来改去，你猜这些精密仪器都是什么做的？是我们贡献出来的两根饮料吸管、一个纽扣手机链、15 个大头钉、一对糖果卡子，还有各种杂七杂八。

"现在设计跑道上的点火程序。最后调整轴距、挡速。"哈智慧说。

他不愧为我们班的 CPU，说出的话那么专业，我看应该基本接近科学家了吧。

我们都期待地瞪着他从阿西瓜号走出来，期待着我们的阿西瓜号火箭能顺利升天。

细心的于小巧把我拉到一边去说："朵朵，如果你想让脚印更清晰，我建议你换一双跑步用的疙瘩鞋。"

"对呀！"我跑到教室后面的鞋柜，准备换一双更合脚的跑鞋。

可惜我的速度有点慢了，我怎么知道哈智慧这个家伙的速度这么快，已经安装好了阿西瓜号的所有零件，我的右脚鞋带还没系上的时候，丁一已经用他的蛇一样长的胳膊卷起阿西瓜号，用力一甩，我眼看着阿西瓜号从窗口飞了出去！

我气得原地蹦高，把教室顶都噗成了黑色，"怎么会这样！我还没上阿西瓜号呢！"

但大家太激动了，没人注意到我，他们都贴在窗户前鼓着掌说："好啊！好啊！阿西瓜号顺利升天！"

"你们说话太不严谨了，这叫顺利升空，不是升天，死了才叫升天呢！"哈智慧的话音刚落，就听到外面天空中传来"轰隆"一声惊天动地的巨响，一些西瓜瓤和西瓜籽落到了教室的玻璃上。

我们一齐看向哈智慧，他耸耸肩，尴尬地干咳了几下说："好吧，我承认，阿西瓜号升天了。"

原来哈智慧是用拼装机器人的方法安装的阿西瓜号火箭，还好我没赶上，否则我也升天了。

你手机，我手机

9月21日

天气： 一块蓝布挂天上

心情： 嘭嘭嘭

这个学期，我们班有好多同学都带来了手机。老爸老妈给我们买手机的主要目的就是，随时保持联系。

但老师可不太喜欢手机。因为自从有了手机，上课变得像过年一样热闹。一会儿从这个书桌里传出周杰伦的歌声，一会儿墙角响起了圆舞曲，一会儿那个书桌里又大叫着："翠花，接电话，不接你就是大蛤蟆……"

欧阳横飞老师要疯了！他猛地回头一拍讲桌："都给我把手机关了。"

我们都是听话的学生，赶快把手机都调成哑巴状态。曹操还给他的手机安了个拉链，老师一声令下，他把手机喇叭上的拉链赶紧拉好，害得手机很不舒服，在他书桌里扭来扭去。

三秒钟，教室里安静下来，欧阳横飞老师这才安心地转过身，继续他的板书。

这时候，我的手机震动了一下，是蓉儿发来了短

信："下课陪我去借舞蹈鞋吧。"

"没问题。"我给她回复。

我忽然有了个大发现，心想，这下好了，我们上课可以不用传小纸条了。发短信既快捷又安全。于是我又给于小巧发了条信息说："大休息时我们去医务室量体重吧。"

于小巧回信息说："好，我最近吃了不少油炸食品，大概卡路里超标。"我们正聊得高兴，忽然接到曹操的短信："大屁股朵朵。"

我气得瞪了他一眼，他就坐在我旁边，还假装认真听讲的样子。这个家伙，这回不用说话，也不用写小纸条就能气我了。我干脆对着手机"噗"地吹了口气，呵呵，这下我发去的信息可不一样了。

曹操打开手机顿时觉得浑身像面团一样软，胳膊像面条一样没力气。他赶快把自己变成透明的玻璃人，才不至于滑到桌子下面去。我偷偷地捂着嘴笑，谁让他气我，我发的信息是：面团病毒信息。

这时候，欧阳横飞老师正好转过头来，看到曹操不在座位上，顿时气得暴跳如雷："曹操呢？怎么又消失了！"

"报告老师，他偷偷跑去上厕所了。"我来了个恶人先告状。

"好，看我怎么教育他。"欧阳横飞老师打了个响指，我们都知道，欧阳横飞老师弹的脑瓜崩，可是世界上最疼的脑瓜崩。

我心里正得意呢，手机又震动起来。我随手一按，短信刚打开我就后悔了。原来是玻璃人曹操发来的：放屁病毒信息。

顿时，一股臭气从我的手机里飘散开来，我连忙捏住了鼻子。坐在我前桌的牛肉脯最先闻到，他干脆把鼻孔关闭了，让鼻子变成了从上至下的一个长方体，像个小型烟囱；我后面的于小巧眼睛瞪得贼大，她连

忙借来了同桌的一只"过滤手"捂住了鼻子。

不多时，欧阳横飞老师也被臭到了，不过他还是绅士地假装咳嗽了几下，趁机用手捂住了嘴巴和鼻子。

所有人的目光都朝我这边"扫射"过来！都怪牛肉脯的心灵感应，让所有人都知道，这个臭屁炸弹来自于他的身后。我羞得满脸通红。

"没关系。"欧阳横飞老师安慰我说，"谁都会放屁的嘛。"然后又想想，补充道："以后少吃点生萝卜、煮鸡蛋什么的，也许就没这么……浓了。"

但是我的脸还是羞得变成了一个熟透的番茄，真正的番茄。

还好没被欧阳横飞老师看到，他一定会吓坏的。大人嘛，有时候还是不太理解小孩儿为什么会变来变去，太夸张的变化会吓到他们。

我气愤得由红番茄变成了绿番茄后，决定好好教训一下曹操。

我给他发了条"机关枪病毒信息"。他收到后就浑身颤抖，像真的中了机关枪一样。

他又给我发"足球病毒短信"。从手机里飞出来的足球，正打在我的脑门上，砸得我头晕目眩。

不行！哪有这么欺负女生的！我给他发了条"钢筋铁锤病毒短信"。曹操变成玻璃人后最怕铁锤了，他被我发的短信追得满教室跑。还一不小心把欧阳横飞老师撞了一个趔趄。

欧阳老师看不到透明的玻璃人曹操，以为自己头晕呢，扶着黑板喘了半天气。

我接到曹操发的"地震病毒短信"后，书桌开始剧烈摇晃，连书桌里的手机都晃得掉在了地上；我捡起差点摔坏的手机，又给他发了"原地打滚病毒短信"……

我们的手机短信大战了八百回合后，全班没有人再听课了，都加入了观战的行列。

最后结果怎么样呢？结果我们的手机双双被欧阳横飞老师没收了。

从那以后，欧阳横飞老师规定，上学不准带手机！

干了一架

9月29日

天气: 黑色棉花云光顾

心情: 很糟糕

今天在学校，陈柯汗把我小乌龟笔袋上的链子弄坏了。陈柯汗最爱破坏东西，久而久之，他的特殊本领就是，可以很轻易地破坏掉一件东西。

这个本领有时候能起到好作用。那次我和蓉儿路过操场时，一个足球冲向我们！还好陈柯汗路过，一伸手，硬邦邦的足球就变得个塑料泳帽一样，包在了他的拳头上。还有那次，牛肉脯把自己的桌子变成了好吃的牛肉脯吃掉了，结果桌子腿卡在了他的嗓子眼里，害得他说不出话来。还好，他的同桌就是大力士陈柯汗，陈柯汗对着他的后背猛击一掌，碎成一块块的桌子就飞出了教室。

"是谁把书桌扔下楼摔碎的？是谁？"为这事，欧阳横飞老师暴跳如雷地调查了一个星期，都没查出结果。

但是今天，陈柯汗的破坏力爆发在我的笔袋上，平白无故地把我的笔袋弄坏了，那可不行。

"拉链坏了，什么都拿不出来，你说怎么办吧。"我把笔袋扔在桌子上朝他瞪眼。

"这还不好办。"陈柯汗拿过笔袋，轻轻一拉，我的小乌龟笔袋就变成了两片。钢笔、铅笔、彩色橡皮撒了一桌子。

"你！"我气得站了起来，"你赔我笔袋，你赔！"

陈柯汗摇头晃脑地假装没听见。曹操在旁边还带领男生起哄："哦，哦，陈柯汗要陪潘朵朵逛街了。"

"一定要陪，一定要陪。"他们大声喊着。擅长伪装的丁一还把自己的腰变细，腿变长，模仿我的样子，在教室里边走边扭，捏着嗓子说："讨厌，讨厌啦！"

这群可恶的男生，气得我哭了起来。

其实做班干部真不容易，别说是我，就连班长蓉儿，每天也得被男生们气哭好几次。

蓉儿来帮我出气，说："朵朵，给你我刚才用眼睛拍到的照片，拿给欧阳横飞老师看，谁叫他们欺负你

87

来着！"

"我们男生就不找老师告状。"陈柯汗一脸不屑地说，"哼！无能的表现。"

就凭他这句话，我今天还偏不去告状了！我跑到洗手池大镜子前，朝着镜子里的自己"噗"地吹了一口气，顿时，我变得像绿巨人一样强壮了。绿巨人朵朵"咚咚咚"地走进教室，和陈柯汗扭打在了一起。

于小巧紧张地在一边说："潘朵朵别打了，你可是女生。"

"谁说女生不能打架呀！"我趁机在陈柯汗胳膊上来了个左拧右扭十八招，疼得陈柯汗嗷嗷大叫。

陈柯汗一点都不把我当女生，他竟然把我的耳朵揪得像蒲扇一样大，好丑啊！我干脆把他的脚踩得像公交车票一样薄；他想用头撞我的鼻子，我迅速调整五官躲避他的袭击，顺便吹飞了他的眼睛；陈柯汗边呼叫自己的眼睛，边用从丁一那学来的抻长本领，用

绳子一样长的胳膊绑住了我的双脚……就这样，整个教室被我们两个滚得狼烟四起。

那当然，这可是破坏大王和绿巨人的战争。

我们的打架声把教导主任惊动了，他从后面的小窗户往班里看，手里还拿着个纪律评比的红本子，随时准备给我们班记上一笔。

男生女生的战斗绝不能让老师瞎掺和，打架归打架，纪律分可不能丢。这点曹操做得不错。他马上把自己变成玻璃人，站到了后窗户跟前。有点不同的是，这次他变成的是磨砂玻璃，从外面看教室里面，模模糊糊，什么都看不到。

教导主任擦了几次眼镜后，决定直接进来看个究竟了。

推开教室前门，他看到的是：我们女生正聚在一起叽叽喳喳，他们男生有的趴在桌上睡大觉，有的在吹大牛。很正常的下课十分钟，没什么特殊情况发生。

真险，还好我及时"噗"了一下，教导主任看到我变化出的海市蜃楼，这样，我和陈柯汗的战争才没有被发现。

　　教导主任莫名其妙地摇摇头走远了，他一定以为自己睡眠不足，产生幻听了。

　　我和陈柯汗继续扭打，还没分出胜负，上课铃就响了。

　　上课的时候，我越想越不甘心，干脆用圆珠笔在前排陈柯汗的白衬衣领子上画了一只小王八，直到放学他都没发现。

　　我心里这个美滋滋呀，心想："被他发现了我也不怕，男生不是说他们从来不向老师打小报告嘛！"

　　结果，陈柯汗真的没有向老师告状，只是他老妈第二天拿着陈柯汗的白衬衣来找欧阳横飞老师了。我真倒霉呀，我不仅向陈柯汗赔礼道歉，还要把他的衣服拿回家洗干净。

　　不过还好，陈柯汗的妈妈赔了我一个小乌龟笔袋，而我只需要在陈柯汗的衬衣领子上"噗"一下，他的衬衣就又变得白净整洁了。

　　庆幸的是，我在学校和男生干了一架的事，没有让我老妈知道。

牛肉脯减肥记

10月3日

天气: 一件长袖正合适

心情: 嘟里个嘟

牛肉脯说他以后再也不吃牛肉脯了，他要绝食减肥。

"没那个必要。"曹操说，"你只要把每天吃牛肉脯的数量控制在 1 斤以内，就不会像现在这么胖。"有好多次曹操变成玻璃人准备去撞别人时，都被忽然跑过来的牛肉脯撞飞了。所以牛肉脯要减肥，曹操也很高兴。

牛肉脯点点头，还说以后你们不能叫我牛肉脯，要叫我的大名。

于是我们只能叫他"大牛肉脯"了。

"说起减肥，其实我有个办法。"下课后我踢踢牛肉脯的椅子说。

"是祖传的绝密老办法吗？"牛肉脯一脸虔诚地问我。

"也不太老。是我妈的减肥方法。"我回忆着……暑假里，老妈迷上了韩剧"金三顺"，每天吃完晚饭就坐

在电视机前一动不动，而且她还跟着金三顺学会了做西点。于是，一个月后，老妈就开始在镜子前东照西照，为自己变胖的身材而苦恼。于是，她决定展开魔鬼式的减肥！

"后来呢？"牛肉脯开始和我套近乎，"咱老妈有没有瘦下来？"

"那当然。"我说，"你只要听我的命令，肯定能瘦下来。"

牛肉脯高兴得用他的按摩手掌"嗡嗡嗡嗡"，帮我按摩了十分钟。

我们的话被顺风耳小米听到了，她平时就好打听，时间久了，耳朵就变得可以随意伸长，想听什么就听什么。另外，她太瘦了，肚子里根本存不住话。谁要是和小米说句悄悄话，第二天准变成全班的秘密，连"不能说"都说给别人听了。

于是，潘朵朵要帮牛肉脯减肥的事儿，瞬间就成了新闻。大家都好奇地围过来，想看看我们班著名的胖子牛肉脯怎么减肥。

大休息时，我先让牛肉脯跟着我在讲台上做健美操，其实就是广播操。但今天有所不同的是，牛肉脯的速度，完全控制在我手里的这个遥控器上。

跳跃运动的时候，牛肉脯累得汗流浃背，这正是加速的好时机。于是我按下了快进键，牛肉脯的动作越来越快，越来越快……几乎刹不住了。

"噢！噢！天哪！天哪！"牛肉脯大叫着！20秒后，他的胳膊和腿缠绕在一起，变得像一个巫毒娃娃似的。

"太折腾人了。"曹操帮牛肉脯解开缠在一起的胳膊和腿，说，"故意的吧，你。"

"爱练不练。"我学着数学老师的口气说。平时数学老师一拖堂就爱说："你们可以下课呀，但我现在讲的是期末考试的重点，爱听不听。"

这句话每次都很管用，今天在这里也很管用。

牛肉脯赶快说："继续练，为了减肥，我不怕累。"

"疯了，疯了。"曹操叨叨着，可还是忍不住观看牛肉脯的减肥实况。

接下来，是转呼啦圈。牛肉脯接过一个特大号的呼啦圈，踢踢腿，弯弯腰，甩甩手，认认真真地摇了起来。

这个呼啦圈可是被哈智慧重新排列过 DNA 的，因此它特殊在增加了 10 倍的地球引力。一会儿工夫，牛肉脯就满身大汗。

我赶紧对着黑板擦吹了一口气，把它变成毛巾。又对着白粉笔吹了一口气，让它变成一杯白水。

牛肉脯擦了擦汗，一口喝完整杯水，这才舒了一口气，说："接着来。"

"果然很有毅力。"我开始钦佩牛肉脯了。

接下来要感谢大张伟的友情帮忙。他化成冰激凌后流淌在地面上，又结成了冰。牛肉脯在冰面上开始了原地快速跑，我一按遥控器，他就加速。

"我看到了，牛肉脯的卡路里在燃烧，像小宇宙一样燃烧。"于小巧激动得推着眼镜在一旁解说，"这个方法无与伦比地见效。"

欧阳横飞老师经常对我们说，不要骄傲，更不要得意忘形，否则后果不堪设想……可在牛肉脯的减肥过程中，我们都忘记了这句话。

我开始进一步为牛肉脯加快速度。果然，老师的话应验了。

只听，"嘭"的一声，像高压锅炸开了盖一样，牛肉脯的脂肪忽然燃烧起来，眼看着他浑身冒火，就要烧到头发了。女生们吓得直往后退，多亏丁一及时把手和脚都伸过来，在牛肉脯身上一通猛拍猛踩，这才没有在班里引起火灾。

"这种自燃现象常发生在汽车身上，原来你也会呀！让我研究研究。"哈智慧凑上来观察坐在地上的牛

肉脯。

牛肉脯被熏得满脸是黑，已经累得睡着了，还呼噜噜地吹出了一个三角形的鼻涕泡。

一天的魔鬼式减肥后，牛肉脯站到了电子秤上，充满期待地问我："怎么样，怎么样，我减了10公斤吧？"我满意地点点头，鼓励他说："嗯，差不多，减了半两呢！"

"耶！减肥成功！"牛肉脯开心地过来拥抱了我，害得男生嘘声一片。

我说什么来着，只要能坚持，减肥一定会成功的。

肉不啄不成饼

10月10日

天气： 小风嗖嗖地刮

心情： 酸溜溜

上课前，自然老师搬了一块石头放在讲桌上说："离远点，谁都不许动。"

他前脚刚走，男生们后脚就都冲上去东摸摸西碰碰。

"都下去。"我站在讲台上大声说，"老师说了，离远点。"

"那你也得下去。"我只听到耳边有声音，没看到人就被撞下了讲台。不用说，又是那个讨厌透顶的曹操。

"我不管了。"我生气了，扭着回到座位上，把下节课的自然书拿出来，狠狠地摔在桌子上，好像这本书惹了我似的。

真是的，蓉儿就知道跳皮筋，也不回来管管这些捣蛋鬼。我心里想着。

曹操这时候现出原形，坐到他的座位上说："怎么了，大纪律委员生气了？"

"我才不跟你们生气呢。"我看都不看他，冷冷地

说，"一群捣蛋鬼。"

"古人云，会捣蛋的孩子才会学习。"曹操又开始胡说，"像我这样特别会捣蛋的孩子，才更会好好学习。"

"就你，还好好学习呢？"我撇撇嘴，"你要是能好好学习，我都能天天向上了。"可说完这话我有点后悔，看到曹操一脸的坏笑，我就知道他也想到了……

在我们班里，说出来的话肯定会实现。

就像我们一年级时，那时候的班主任还不是欧阳横飞，而是一个很不好的老师。

她总喜欢说我们："你笨得像猪一样！""瞧你那熊样。"所以，我们班每天都会有几只小猪和小熊爬来爬去。

可那个老师根本不愿意改，我觉得，是因为她眼睛总是朝上看，根本没看到我们的变化。

终于有一次，陈柯汗上课说自己憋不住尿了，老师大喊一声："闭嘴。"吓得陈柯汗不但尿了裤子，还因为嘴唇粘到了一起，害得他一天都不能吃饭。当天，陈柯汗的妈妈就来向校长告状了，我们的班主任这才换成了欧阳横飞老师。

由此我想到，曹操为了让我"天天向上"，他会假装地"好好学习"。

接下来的自然课，曹操果然没发出一声怪叫，没拉过牛肉脯的大手扇风，老师讲大理石的几个层面的时候，他也没说像红烧肉。这种好好学习的态度真是罕见，我顿时感觉到自己在"向上"，屁股离开了椅子面。

数学课小测验的时候，曹操一眼都没看我的卷子，于是我继续向上飘，脚都能碰到桌面了。

"好好学习，天天向上。"这句话真没错，我果然一直在向上。

中午吃饭的时候，我的脑袋已经快顶到教室顶了，根本没办法拿到午餐。

曹操大口吃着炸酱面，还不忘唱着他改编的走调京剧气我："苏三，想吃炸酱面，一摸兜里没有钱……"我这个气呀，可怎么挣扎都降不下去。

"丁一，给我们高高在上的纪律委员送点午餐。"曹操大声说着，丁一假装成小家丁的样子，说了声："遵命，曹员外。"于是伸长胳膊，把我的那份炸酱面递了上来。

"我才不要吃呢！"我把头扭向一边，"我就不信你能一直坚持好好学习。"

"那你就等着瞧吧。"曹操说着和丁一玩旋风卡去了。我那份炸酱面也被贪吃的牛肉脯消灭掉了。

还是我的朋友好，蓉儿站在桌子上，给我送上了可乐和汉堡，还不忘叮嘱我："少喝点水，咱们学校可没有空中厕所。"

好！我狼吞虎咽地吃着。我倒要看看这个曹操，能好好学习多久。

下午的美术课，美术老师搬来一个大卫的石膏像。她刚把石膏像放到讲桌上，就被我的腾空姿势吓了一跳。美术老师关心地问："潘朵朵，坐那么高能看得到石膏像吗？"

我苦笑着，还得装作无所谓的样子："没问题，坐高点可以从不同的角度观察大卫。"

我把美术本放在腿上，艰难地画出了大卫的头顶。而曹操真的没给大卫画一幅叼着烟斗的漫画，而是画了一张规规矩矩的石膏素描。

但是，曹操好好学习的耐性还是有限的，他一天没捣乱，最后一节语文课终于忍不住了。

当欧阳横飞老师讲到三字经里的"玉不琢不成器"，问我们谁知道后半句的时候。曹操屁股像长了弹簧一样跳起来说："我知道，是肉不啄不成饼。"

在大家的哄笑声中，我从高处"嗖"地一下掉了下来，狠狠坐了一个大屁蹲儿。虽然屁股摔得蛮疼的，

但我有种胜利的感觉。

　　曹操在我耳边悄悄地说:"知道吗?我是故意捣乱的,我可是绅士,怎么能见死不救呢!"

　　也不知道他说的是真是假,反正我知道了,再淘气的家伙,自己想好好学习的时候就一定能好好学习!

吹一口气

10月13日

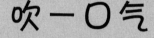

天气: 雨婆婆碰翻了大水盆

心情: 湿漉漉的

"不许在教室里闹！"蓉儿站在讲台上，用老师的粉笔擦敲讲桌，可根本没有人听她的。

　　今天学校停电，眼保健操不做了，于是教室里闹翻了天。

　　"一二三，木头人。"我开始行使纪律委员的职责，把闹得厉害的男生定在原地。

　　这一招很快就被曹操他们几个淘气包发现了，他们和牛肉脯学会了闭耳大法，关闭了耳朵，听不见我的声音，自然也就不会被定住。

　　只见这几个家伙像吃了耗子药一样，在教室里你追我打，把桌子撞得歪七扭八。

　　曹操变成透明玻璃人，用头顶牛肉脯的屁股；牛肉脯往前一冲，把哈智慧撞出了老远；最爱吃冷饮的大张伟正融化成冰激凌，准备悄悄进攻曹操，哈智慧一脚踩在流淌在地上的大张伟脚丫子上，滑了一大跤，顺便踢倒了投影仪……于是，可怕的事情发生了。

　　投影仪倒下去狠狠地砸到了丁一刚刚伸过来的腿上，把他的腿上砸出了一个血窟窿。好可怕啊！

　　丁一坐在最后一排，腿伸在最前面，他被砸后先是一愣，然后迅速收回腿，接着就"哇"的一声哭了出来。

　　"我得腿断了，救命呀！"丁一边喊边哭，平时霸道的样子一点都没有了。

　　我们赶快挤过去，叽里呱啦地吵，后来不知道谁说："快找老师去！"一大群人又浩浩荡荡去欧阳横飞老师办公室报告。

　　欧阳老师来的时候我正在帮丁一擦眼泪，只见老师抱起丁一就往学校的医务室跑。我跟在他后面说："老师，让我帮丁一吹吹腿。"

　　"都什么时候了，吹是不管用的。"

　　他一眨眼就跑没了。

　　如果不是我知道欧阳横飞老师原来练过体育，你一定会以为我们老师也有什么特殊本领呢！

蓉儿坐在自己座位上，一动不动地用她的透视眼穿过几个教室，准备拍摄医务室的情况。

"别挤，别挤，蓉儿一动，照片就不清楚了。"牛肉脯用大屁股挡在要冲过来的同学前面，曹操也给蓉儿用书扇着风。他们男生和我们女生难得这么配合默契。大家都规规矩矩地围在周围，等着看照片。

蓉儿不愧是班长，很快就让自己平静下来，拍出了几张清晰的照片。

第一张照片是：欧阳老师把丁一抱进了医务室，丁一的脸拧得像麻花。

第二张照片是：有好多的老师在帮忙按住丁一，不让他动。

第三张照片是：开始对伤口进行处理。

好多女生已经不敢看了，蓉儿也吓得闭住了眼睛。

"你不拍我们就不知道丁一现在的情况了。"曹操急

得大喊。

"让小米偷听吧，我是不敢看了。"蓉儿紧紧闭着眼睛。男生们也觉得让她一个小女生看这种血淋淋的场面确实不太好，于是，只能换另一个小女生小米来偷听了。

小米是班里有名的八卦女王，因为她有顺风耳的特殊本领。可惜她听到的都是丁一的惨叫，这更让我们担心了。

"我去试试看。"我说着跑出了教室。

离医务室还有老远，就听到丁一扯着嗓子喊："我不要缝针！"

于是我冲了进去，对着丁一的腿"噗"地吹了一口气，让他的伤口不再疼痛。

丁一忽然不叫唤了，医务室的护士老师以为他疼得晕了过去。

"没关系的，您们开始帮他治疗吧。"我握了握丁一

113

的手，用手心给他传了口信说："我已经把麻醉剂吹到伤口上了，不会疼的。"

这下，丁一果然放松下来，安静地配合医生治疗了。

安抚好可怜的丁一，我和欧阳横飞老师一起回到教室。

一进门，欧阳横飞老师就为丁一受伤的事发开了火。

"告诉你们多少次，教室里不许打闹。"他拍着大腿强调说，"不许打闹，就是不听！"

我们女生又没打闹，带上我们一起批评，真不公平。

"还有你们做班干部的，也不管管。"欧阳横飞老师继续说，"要班干部有什么用？"

这回关我们女生的事了，可我们管，他们也得听啊。这下我们更委屈了。

见我们一个个苦瓜一样的脸，欧阳横飞老师稳定了一下情绪，终于压低了语调。

"不过还是要谢谢潘朵朵同学。"他说，"早知道去医务室那么费劲，还不如一开始就让你吹一口气呢！"

看吧，大人有时候就是信不过小孩。

风筝挂在太阳上

10月19日

天气： 长犄角的大太阳挂在天上

心情： 哈哈哈

今天的日记写什么呢？我准备写点我同桌的事儿。

今天下课，陈柯汗信誓旦旦地说："我要发明一种踩不扁的气球！"

曹操说："那是足球，早就被发明出来了。"

陈柯汗一脸无奈："那好吧！"

我同桌曹操和破坏大王陈柯汗是好朋友，这你们早就知道了吧。不过男生真是很奇怪，虽然是好朋友，但是还喜欢像对手一样比来比去对着干。

曹操用白粉笔把脸涂成白色，变成玻璃人吓唬女生。陈柯汗就在脑袋上套个黑塑料袋假装大力机器人，把同学们的脚都踩扁了……总之，他们谁都不服谁。

今天，因为陈柯汗和曹操比赛谁能用最快的速度推倒教室的一面墙而被欧阳横飞老师严肃又严重地批评了。

欧阳横飞老师看着我们班教室墙上被玻璃人撞出的人形大洞，和被破坏王打出的无数个黑手印，语重

心长地说："你们就不能做点有意义的事？每天比着调皮捣蛋，有什么劲啊？"

"对呀，我们怎么没想到？"曹操说。于是放学后，他们可逮到做有意义的事的机会了。

"别和我抢，是我先看到的。"陈柯汗边跑边说。

我想，他要是丁一就好了，可以把手脚变得无限长，一步就跨过去了。

曹操这时也梗着个脖子使劲跑，书包在他身后飞了起来。他大叫着："抢不抢那要看谁先到了！"

最后他们同时到达了这个哇哇大哭的一年级小同学身边。这个小同学的特长一定是哭，他哭得眼睛像桃子一样，鼻涕眼泪一大把。这个我可以作证，因为我和蓉儿的两包面巾纸都给他用光了。

"我的，我的风筝……飞了。"小同学指指天上，抽泣着说。

"没关系，有我呢！"曹操和陈柯汗异口同声地说

道，说完后他们互相瞪了一眼。

不过，话虽说出去了，帮助别人的事儿可不是那么容易做到的。因为小同学的风筝飞得太高了，高得挂在了太阳放射出来的光线上。多亏那是一个太阳风筝，太阳才没把自己的"照片"烧掉。

这么高，怎么够呢？我仰起头眯着眼睛看去，心想：要是丁一在就好了，他的长胳膊一伸，就能把风筝摘下来。最近我们大家都特别想丁一，因为他的腿伤还在恢复，所以已经有三天没来学校了。

曹操和陈柯汗挠头抓耳朵的，终于想出了各自的办法——

曹操找来了马戏团的一只长颈鹿，陈柯汗搬来了一架长梯子；

曹操在长颈鹿头上安了一根烟囱，陈柯汗的梯子上摆了一个大箱子；

曹操又在烟囱上架了一门大炮，把自己"嘭"的

一声打上天，可惜他的手还没摸到风筝就又掉了下来；

陈柯汗嘲笑了他半天，把一个滑梯反着放在了箱子上，

哧溜一下，滑到离太阳更近的地方。

看来做好事不能着急，得一点点琢磨。我的同桌

曹操淘气归淘气，其实还是挺聪明的。他让大张伟融

化成冰激凌水，把全校同学的作业本都冲了出来。再

把作业本摞起来，足有几千米高。

陈柯汗则把全校同学的铅笔都借过来了，一根接

一根，晃晃悠悠地伸向太阳。

我们眼看着曹操和陈柯汗离太阳越来越近，他们

所面临的困难一定是：温度越来越高。

接下来聪明的曹操请佳佳幻想出几座冰山放在大

炮上，他站在冰山上，踮起脚尖，几乎要够到风筝了。

陈柯汗搬来牛肉脯储藏牛肉脯用的大冰箱，放在

晃晃悠悠的铅笔顶上，自己钻在冰箱里，也差不多要

摸到风筝了。

我们在下面观战的同学，都提心吊胆地看着他们俩跳来跳去，想最先摘下挂在太阳光芒上的风筝。不巧，这时候忽然来了一阵小风，轻松地卷起风筝跑掉了。

"想抢我们的功劳，没门。"破坏大王陈柯汗说着从冰箱里跳出去，一把抓住了风筝的一角。

"把风筝还给小同学，我是正义大侠！"曹操也跳起来抓住了风筝的另一角。

风筝被他们俩抓着，像降落伞一样飘飘荡荡落了下来。

刚才还哭得眼睛像桃子一样的小同学，现在乐得直蹦高。看到拿着风筝的小同学这么高兴，曹操和陈柯汗也傻乎乎地咧开嘴笑了起来。

"原来做有意义的事儿心里这么美啊！"陈柯汗说着踢飞了一块小石头，轰隆一声，小石头把操场上的雕像砸塌了，他又无意识地破坏了一样东西。

曹操不服气地看了陈柯汗一眼:"以后咱们比谁做的好事多!"可惜曹操现在是玻璃人,陈柯汗根本看不到他充满杀气的眼神。要不是蓉儿把抢拍的照片给我看,我还以为他们和解了呢。

他们仍旧这样争来争去、比来比去地走出校门。男生真奇怪呀,他们到底是不是好朋友?

超2健忘症

10月23日

天气：小阴转大晴

心情：怪里怪气

早晨我发现自己出现了"提嘴忘字"的状况，蓉儿问我早点吃了什么，我说油条、豆浆，还有……第三样我努力了半天都说不出来，只能描述道："就是那个，那个什么，白色的宽粉条一样，一段一段油炸的，就是那个什么。"我揉着太阳穴，"我想不起来叫什么了。"

　　"哦，就是那个，我知道了我知道了，就是那个什么，我也爱吃。"蓉儿高兴地对我说。

　　曹操翻着一对卫生球眼珠惊讶地看着我们，摇摇头说："你们女生的对话还真是诡异啊！"

　　"你不会得了健忘症吧？"牛肉脯把他的手像芭蕉扇一样放大，边给我扇风边问。小米伸长耳朵听到这个"噩耗"后，连忙找来了哈智慧。

　　哈智慧绕着我转了三圈，慢条斯理地甩了甩头发说："一定是哪根神经搭得不对，我来帮你调整一下。"说完，他的手指像弹钢琴一样在我的脑门上敲来敲去，我听到脑袋里像小鱼吐泡泡一样咕嘟咕嘟了几声，之

后就没什么变化了！

"这下你试试，我们是谁？"哈智慧在我眼前晃晃手说。

"他是牛肉脯，你是哈智慧，这再简单不过了。"我皱皱眉，"我得的是健忘症，又不是失忆症。"话音刚落，一个女生迎着我走了过来，我却怎么也想不起来她是谁了。

"你你你你你，你是……你叫什么来着……"我指着这个女生说。

我的大脑门被她狠狠地弹了一下："拜托，你脑子里进鱼了吧，我呀，蓉儿，连我都不认识了。"

"对对，是蓉儿，我是一时记忆堵塞。"我红着脸说，"怎么会不认识你呢，你是蓉儿，她是小米……"接着我又傻眼了，旁边这第三个人，这个戴眼镜的大脑袋又是谁呢？

这人猛地一拍桌子说："我知道了，一定是你的

DNA 排列上出了点小错误，你所表现出的症状是——超 2 健忘症。"

"你才二呢！"我跳起来大喊，对着他噗地吹了口气，这个大脑袋就变成了一只招财猫存钱罐了。

"别激动。"招财猫存钱罐摇着手，肚子里发出嗡嗡的声音，"我说的 2，不是说你傻啦吧唧的二，而是你得了只要超过两个以上物品，就会被你忘记的健忘症。"

不会这么糗吧？我翻开语文书随便找了一行念道："一天……"

天啊，我敢保证，接下来这个字是一年级就学过的字，可是它念什么呢……

我的同桌曹操怜悯地看着我说："一天早上。"

这么简单，我竟然忘记了！我顿时感觉教室里电闪雷鸣，几乎没有生存下去的勇气了！

接下来我做了几道简单的加法题，果然超过两道

就不会做。连墙上的小红花，也是数到第 2 朵就不知道后面一朵该怎么数了。

"难道我真得了超 2 健忘症了……"我看看精神抖擞的曹操，看看刚把一块橡皮变成牛肉脯吃掉的牛肉脯，更加伤心了，我潘朵朵怎么这么可怜啊！

就在我马上就要挤出眼泪的时候，桌子上一个招财猫储蓄罐变成了一个戴眼镜的大脑袋的家伙。看着眼熟，可我怎么也想不起来他是谁了。看样子他要过来敲我的脑袋，说什么帮我调整一下 DNA。

"我不认识你，不会让你敲我的脑袋的。"我又要对他"噗"地吹气，他连忙躲开了。

看我这么坚决，这个大脑袋和曹操嘀咕了两句，一秒钟之后，曹操不见了。

我知道曹操一定变成了玻璃人，不知道他又想做什么，不会是看我生病了要来作弄我吧！男生最坏了，我一定要提高警惕。我紧盯着牛肉脯，他和哈智慧正

129

满眼期待地看着我。

"哈智慧，你什么时候来的？快，帮我调整一下DNA 吧，我的脑子混乱了。"

哈智慧摇了摇头说："我一直在这儿，可惜你刚才不认识我了。"

他说的什么乱七八糟的，我一点都听不懂。哈智慧说着，利用改变 DNA 排列顺序的方法，调制出很多不同口味的奶茶。

"这是减少干扰奶茶，这是刷新奶茶，这是增强记忆奶茶，这是复制奶茶，这是一杯恢复奶茶。你试喝一下吧，对于你的超 2 健忘症一定有一杯管用。"

等他一杯杯地给我介绍完，我已经把前面的几杯奶茶都忘掉了，只记得最后两杯。我端起杯子，一口一杯，把后面两杯奶茶喝了个精光。

"效果怎么样？"哈智慧和牛肉脯一起问道。

"没什么效果。"我沮丧地看了一眼黑板旁的小书

架，上面写着：图书……第三个字我还是不认识。看来奶茶不管用。

忽然两只橡皮筋一样细长的胳膊伸过来，还带过来一个声音说："是图书角，笨蛋朵朵。"

"蛇精！"我吓得往教室外面跑去。不知道地上哪来的冰激凌，害得我滑了一跤。而融化的冰激凌还发出一声惨叫，真是怪事。摔倒的时候，我的脑门"嘭"的一声磕在了门框上……

我的眼前出现了一片金黄色的星星。

几秒钟后，蓉儿、小米、于小巧都大惊小怪地来扶我，曹操也现出形来，百年不遇地关心我说："没磕傻吧？"

"要不是丁一的长手接住了我，估计真撞傻了。"我揉着头上的大包说。

"哎呀！"忽然哈智慧又叫了起来，我们都朝他看过去。今天早上真是热闹，我们班同学都挨个发出尖

叫。

"潘朵朵好了，她认识超过两个以上的人了。"哈智慧说道。

他这么一说我才反应过来，赶快翻开语文书，一口气念了一篇古文，连个磕巴都没打。

太好了，我的超2健忘症康复了！原来治疗健忘症最好的方法就是撞门框啊！

"完美" 的说明书

10月28日

天气： 飘过白云朵

心情： 奶油核桃冰激凌

哈智慧是个喜欢完美的男生，用一个文绉绉的词形容他，就叫"严谨"。

他的校服永远干干净净，不像我们，上面经常会有个有油点子或者钢笔水什么的。

有一次语文考试，哈智慧找不到涂改液了，为了卷面工整美观，他交卷前检查出的错误干脆就不改了，最后险些不及格。还有，他的书本永远是桌面上摆得最整齐的；他的红领巾戴在领子的正中间，不偏左也不偏右；老师说在走廊里飞奔不安全，哈智慧走路就小心翼翼，就像动画片里的慢动作一样。

如果有一点不完美怎么办？

"调整 DNA 的序列号，把它们变得没有毛病。"

哈智慧一定会这么说。

不巧，今天我穿的运动鞋，被他盯上了，他说我的鞋很不对头。

"潘朵朵，你的鞋带怎么这么长啊？"哈智慧蹲在

地上说。

"这样不好吗？"我没看出有什么毛病，"鞋带长可以系出两个蝴蝶结呀！"

哈智慧把头摇得像拨浪鼓。

"当然不好，大事不好。"哈智慧说，"这种鞋要是让一年级的小同学穿，他们一定以为这个鞋带可以玩翻绳游戏。万一拿它追逐打闹，勒到脖子或者绊一个跟斗，那可不得了。"

哈智慧这么一说，也吓了我一跳："不会这么危险吧，说明书上没写这样的注意事项啊。"

"嗯，一定是说明书有问题。"哈智慧在桌面上敲敲打打，"看来，我要把鞋的说明书修改得更严谨些了。"

一会儿工夫，运动鞋的说明书就写好了，里面写得很清楚：鞋子是穿在脚上的，请不要穿在手上或戴在头上，鞋带是系鞋子用的，请不要绑辫子或者当跳绳用。

"这个……"我还没说出自己的疑问，哈智慧已经跑出体育教室的更衣室，把修改好的鞋子说明书贴在墙上了。

他气喘吁吁地跑回来说："这下好了，说明书一定要这么详细，才不会出错嘛。"

"说明书，嗝——这么重——嗝——要啊？"牛肉脯刚把一包方便面变成一块厚厚的牛肉脯，一口吃了下去，噎得直打嗝。

"当然，就因为方便面的说明上没写清楚，你才被噎到的。"哈智慧说着把牛肉脯书桌里剩下的几包方便面拿出来，修改了一下。

"要改成这样才严谨。"

方便面袋子上的说明书变成了这个样子：只可食用面饼，包装袋不可食用。食用时要细嚼慢咽，噎住请喝水。

说明书原来可以这么"完美"呀！于是一到下课，

大家就都来找哈智慧写说明书。

第二节课后，哈智慧在大家的要求下修改了扫帚的 DNA，扫帚柄上显示出这样的说明书：抓着小头，用大头扫，可以用于扫地和充当女巫的交通工具，不能吃（牛肉脯除外）。

丁一伸过胶皮手掌，让哈智慧给他的指甲写个说明书。指甲的说明书：可以抠东西，千万别咬着吃。

班长蓉儿给窗台上的植物浇水时，发现仙人掌身上也长出了说明书：我不是刺猬，也不是芦荟，我只能看不能摸。

课间操的时候，哈智慧制作了我认为最好玩的语音播报说明书。

他把我们每个人的文具盒的 DNA 都修改了，每次我们取铅笔时，文具盒就会发出机器人的声音："文具盒说明书——开关文具盒当心夹手，我只能装文具，请不要装鱼香肉丝盖饭。"

变透明的曹操今天很倒霉，第三节课后被来班级检查纪律的值周生踩了好几脚，那时他正蹲在地上准备偷袭陈柯汗。

于是哈智慧修改了曹操的玻璃DNA，这下，曹操即使变成玻璃人，我们也能看到他屁股上写着：隐身人说明书——我是隐身的，请大家注意，别踩到我。

第四节课后，哈智慧又在图书角每本童话书的背面都写道：童话说明书——纯属想象，请勿模仿，如果你吃苹果也中毒了，童话书概不负责。当然这个说明书是纯手写的，不用修改DNA那么麻烦。

这一上午，可把哈智慧忙坏了，我看到他像耗子似的跑来跑去，还要动脑筋。不知道要掉多少根头发呢！

可我直到放学都想不明白，这样"完美"的说明书到底有没有用呢？

哎，看来我这个不够完美的女生是想不清楚了。

呲啦呲啦语

11月2日

 天气：晚上会下玉米雹

心情：呲啦呲啦

今天的天气微微有点凉，天气预报说，夜间有可能会下小雹子。

这样的天气里，大张伟不仅身上觉得冷，心里也凉巴巴的。因为他的英语小测试只考了65分。

下课时，大张伟拿着英语卷子沮丧地趴在桌子上，看得出他的心情有多差，差到他偷偷地流淌到椅子上，流淌到地面上，害得我们走路都小心翼翼的，生怕踩到他。

曹操这次百年不遇地考出了90分的好成绩，于是，不管大张伟流到哪里，曹操都要追过去，左手叉腰，右手指着融化的大张伟"哈哈哈"地大笑三声。

在曹操哈哈哈到第十二次的时候，大张伟终于被激怒了。他不再是融化的状态，而是从地上站起来说："你们笑吧，虽然我英语不好，但要是我告诉你们我是世界上独一无二的大翻译家，你们会羡慕到吐血的！"

说这话时，大张伟飞快地在黑板上写出了一些奇

形怪状的文字，还问我们："谁会朗诵这首诗？！"

"这是诗吗？"于小巧用显微镜眼睛细致观察了半天，也没能破译出来。

就连我们班的 CPU 哈智慧都挠着脑袋，把这些符号和字母在脑子里的百度上搜了无数遍，仍旧没有结果。

大张伟幸福得在座位之间流淌，每次他在沮丧、兴奋、伤心、快乐的时候都会化成冰激凌流淌，所以，他通常大部分时间都在流淌。

大张伟流淌到讲台上，又恢复正常，用冰棒一样的手指指着黑板上的字大声朗诵道："啊，为什么下课的时间这么短？啊，为什么厕所总是这么多人？"

我们一下子震惊了！多么非主流的诗呀，更厉害的是，这么奇怪的文字他真的能看懂。

曹操兴奋地说："快快，用你会的这个语言翻译一下'玉米冰雹'这个词。"

"中国地大物博，下的雹子当然也大。"哈智慧因为被大张伟比了下去，于是故意挑衅地说，"翻译个'倭瓜冰雹'吧。"

没想到大张伟张口就说了一串呲啦呲啦的我们听不懂的语言。

男生我不知道怎么想的，他们都是小心眼，可能会嫉妒吧。但我们女生可是彻彻底底地开始佩服他了。

我觉得，班里有这样一个独一无二的大翻译家是值得骄傲的事。蓉儿也是这么想，她还把她脑子里的想法拍成照片给我看，照片上面写的是：大张伟好厉害啊！

我的前桌牛肉脯一口吃掉了新买的牛肉脯，把塑料包装袋拿到大张伟面前说："快，帮忙翻译一下这个1972年的说明书，看看有没有过期。"

大张伟从容不迫地用"那种"语言念了出来。

曹操也指着楼下校园里摆放的"思想者"雕像说：

"你能翻译出思想者说的话吗？"

大张伟说出了一串类似于鸟叫混合鹅语混合呲啦呲啦声的语言。从发音到声调，都要比英语难上一千倍，这门语言真是太先进了。

"什么意思啊？"曹操惊讶地瞪大眼睛。

"他说的是：如果给我一个板凳就好了。"大张伟轻松地摇着自己的手指。

这下子热闹了，据于小巧的显微镜眼观察，每个人的崇拜指数都猛地上涨成了红色，像老爸老妈最关注的股票大盘一样。

大家纷纷把各种各样的东西拿来让大张伟翻译，我们班的大翻译家也是来者不拒。

哈智慧见大张伟抢走了自己的人气，向大张伟挑战说："可惜你的英语才考了 65 分。我敢保证，你会的那门语言没有英语难。"

大张伟想了想说："真抱歉，就像芝麻语和蝌蚪语没办法比较一样，我同样不知道英语和我所掌握的语言哪个更难。"

这句话很有哲理，我觉得，英语好多人都会说，但这种呲啦呲啦语却只有大张伟会，那一定是这种语言更难。

于是我怀着崇拜的心情问大张伟："独一无二的大翻译家，你说的到底是哪国语言呀？"

大张伟说："这个……不太好说。"

"怎么会不好说呢？"我有打破沙锅问到底的精神，"别那么小气，是怕被我们学走吗？"

"不是的，我可没那么小气。因为这是我自己发明的语言啊！"大张伟兴奋地在教室里四处流淌。

我惊讶地直挠脑袋："什么，这种呲啦呲啦语是你发明的，那有什么用啊？"

"用处可大了。等哪天有了新的国家，我就把这种语言送给他们，我就是这种语言独一无二的大翻译家

了！"

原来是这样啊！这下我们都明白了。

不知道这算不算欧阳横飞老师说的"理想远大"呢？我觉得可以算吧。

暗语不变

11月7日

 天气：独角兽季节

心情：不错

郁闷，我也是个正版女生，却偏偏败在暗语上。

我们女生之间有一种特殊的暗语，是用眼睛说的，就这样一眨一眨再一眨，就知道对方在说什么了。

如果暗语被别人发现，我们就会说："据科学家伯伯的研究表明，经常眨眼可以保护视力。"那别人就无话可说了。

可惜我的暗语不太好，蓉儿对我说："好想吃烤番茄啊！"我理解错了，"噗"地一下变出了烤拖鞋。逛学校超市时，我和于小巧用暗语说："咱们买点香蕉吧。"于小巧拿的却是牙膏……

更倒霉的是，今天的公开课欧阳横飞老师让我回答问题，当着那么多老师的面，我紧张得脑子一片空白，于小巧在旁边一个劲地挤眼睛，用暗语提醒我，可惜我还是没回答出来。

真笨呀，一定是我天天吃面包喝牛奶，它们混在一起，在脑子里变成浆糊了。

中午的午休时间，我自责地趴在桌子上，一点精神都没有。

"哎哟，纪律委员得猪流感了吧？"曹操和陈柯汗见我趴在桌子上生闷气，故意挖苦我。

"讨厌，走开啦！"我一声尖叫，黑板又被震碎了。于小巧摇摇头，小心地把黑板上的裂缝修补好。这个学期，班里的玻璃黑板已经被我的尖嗓门震碎 108 回了。

"好吧，我们不再关心你了，我们去关心一下世界和平吧。"曹操和陈柯汗勾肩搭背地走出了教室。

看着他们俩的背影，我恨得牙根痒痒。

"别难过了，多练习就会好了。"蓉儿来安慰我，当然，是用眼睛说的暗语。

我点点头说："要是有什么事情能激励我就好了，我是越挫越勇型。"

我的话音刚落，教室门忽然"砰"的一声被撞开了，两个蒙面人冲到我和蓉儿面前，一个用大手捂住我的嘴，说："把昨天的作文交出来！不许噗！"

另一个用木头手枪指着蓉儿的头，说："不许喊救命。"

我本来就不开心，这下子憋了一肚子的火气一下子冒了起来，猛地一拍桌子，"我好像没听到敲门，现在是午休时间，你们也太没礼貌了。"

"哦，对呀！"我这样一说，两个蒙面人都吓了一跳，连忙退出去重新敲门。

两个蒙面人又冲了进来，可其中一个手里的枪已经坏了。于是，我们都被捂住了嘴。

"快说，作文本藏在哪里了？"一个蒙面人说。

我看着他，他看着我，他好半天才明白过来。

"对呀，没有嘴她们说不成。"蒙面人又说，"那就快指给我们看，作文本在哪里？"

另一个也凶巴巴地说："不说就剪掉你们的辫子。"

潘朵朵的魔幻日记　　　150

说话间这个蒙面人把手里把玩的一支钢笔弄得四分五裂了。

"笨蛋，那是我的钢笔。"对面的蒙面人生气地大喊。

"你才笨，我也不想弄坏它，可它一到我手里就坏了。"

两个人吵来吵去，几乎忘记他们是绑匪了。

一听说要剪辫子，蓉儿紧张起来，她朝我挤挤眼睛："怎么办？"

我们还没商量出来办法，一个蒙面歹徒就急不可待地说："好吧，我们男生让一步，就看一眼作文本，肯定不会一字一句地照抄。"

见我和蓉儿还在不停地眨眼睛，另一个坏人也说："别紧张，我们再让一步，如果你们不想说也不想指出作文藏在哪里，那就把数学练习册交出来。"

"如果数学练习册也不想交，那我们再让一步，怎

151

么着也得让我们看看思想品德的课后填空题吧。"另一个说。

"既然你们坚决不说，那我们让最后一步，把美术作业交出来，让我们描一下。"

我说过，我是越挫越勇型。在这种危险的情况下，如果我再不使用暗语，估计脑袋都要被他们吵炸了。

忽然间，我的暗语变得出奇的好，我飞快地挤着眼睛对蓉儿说："一二三，咱们一起反抗吧。"

"没问题。"蓉儿眨着眼睛，"先看看他们的真面目。"

于是我们用眼睛数着：一，二，三！一起抓住了两个蒙面人的面罩。

要知道，这两个蒙面绑匪竟然忘记绑住我们的手了。

你猜面罩下面是什么人？

"原来是你们，不是真的劫匪啊！"蓉儿生气地大叫。

曹操和陈柯汗若无其事地站在我们面前，笑着说："闹着玩的啊！以你们的智商，不会当真吧？"

"我……我们当然不会当真！"我嘴上这么说，心里却暗暗想着：哼，曹操和陈柯汗，你们两个大鼓皮。

于是，今天我们班多了一对小腰鼓，每节课下，大家都过去敲几下，真是太好玩了。

倒霉，家长穿帮了

11月18日

天气：太阳羞红了脸

心情：紧巴巴的

倒霉，我被请家长了。都怪曹操。

要不是于小巧大喊一声："当心生化武器！"同学们也不会在上课时间一起跑出教室；要不是我尝了尝牛肉脯的榴莲味牛肉脯，我也不会放这么臭的屁；要不是曹操揭穿了我，我也不会被气得脸像绿茄子似的欧阳横飞老师请家长，"罪名"是：故意扰乱课堂纪律。

"老师，我妈吃羊肉串拉肚子，我爸去非洲出差了。"我可怜巴巴地说。

"去月球也得赶回来！"欧阳横飞老师一点情面都不讲，转身走出了教室。

哈智慧同情地耸了耸肩："唉，我们小孩就是这么无助。"

我该怎么办呢？老爸说了一万遍，不要吃别人的东西，可这件事的起因就是因为我吃了牛肉脯的零食。

放学后，我难过地趴在桌子上，如果我会大张伟的本事就好了，可以融化成冰激凌，冷静一下头脑。

可惜我只会孙悟空的"噗"，总不能噗出一个老爸吧。

"你可以变成你老爸呀！"蓉儿在我耳边偷偷说。

没错！我一下子跳起来，差点把蓉儿的下巴碰掉。蓉儿不愧是我最好的朋友，我们俩想到一起去了。

说噗就噗，我跑到洗手间，对着镜子里的自己噗地吹了一口气。一转眼的工夫，我真的变成老爸了！

"像吗？"我回到教室第一个就问曹操，他就住我们家对门。

曹操脸上闪过一道玻璃的反光，"你变的是你老爸和老妈的综合体吗？"

"胡说！"我用语文书去砸他。

"不是胡说，是胡子！"曹操灵活地闪开说，"女孩子是变不出胡子的。"

曹操这么一说我才反应过来，看来又要求助男生了。

"什么？你要把女生的 DNA 改成男生的？"哈智慧

157

满脸通红，"你想溜进我们的厕所吗？我可不做帮凶。"

我这锅炉脾气被他惹火了，当当当，在他脑门上弹了三个响指："少废话，我是要变成我老爸，去见欧阳横飞老师的。"

哈智慧龇牙咧嘴地瞧着他的键盘桌面说："早说嘛，你们女生下手太狠了。"

经过哈智慧的调整，我成功地长出了胡子，对了，还有一个啤酒肚。细心的于小巧专门收集来一丝灰尘撒在我身上，说这样才有刚从外地风尘仆仆回来的感觉。

"说话声音要变一下，跟着我一起喊：哎哟喂！"破坏大王陈柯汗看样子很专业，我就跟着他一起喊："哎哟喂！"

大喊几声过后，我的嗓子成功地被他破坏掉了。

为了不被欧阳横飞老师识破，我铜铃般的嗓音变成了生锈的铃铛。

牛肉脯说，我被老师召见家长的事他也有责任，为了补偿我，他自愿变成公文包被我夹着，这样就更有老爸的样子了。

潘朵朵的"盗版老爸"一切准备就绪了，小米竖起耳朵说："可以出发，我听到欧阳老师在和别的老师谈论女朋友的事，看来他心情不错。"

我稳定了一下情绪，挪着大方步，走向老师办公室。

"报告！"

还没进门就露馅了，丁一伸出橡胶长手一把把我抓了回来。

"朵朵你脑子里进芝麻糊了吧，哪有家长喊报告的。"我被大家围着一顿教训。多亏刚才因为撒谎心虚声音小，欧阳横飞老师没有听到。

我重新来到老师办公室门口，轻轻咳嗽了一声，敲了敲门。

"请进。"是欧阳横飞老师的声音。

我们走了进去。

我们，是我和曹操，曹操说为了以后我不因为这次告状而"报复"他，他决定来给我壮胆，反正变成玻璃人不会被老师发现。

这倒不错，有同学在身边，我的心跳速度总算从3/4拍，恢复了正常。

"欧阳老师，我是潘朵朵的爸爸，听说您找我有事？"我模仿着老爸的语调说着。

"请坐请坐。"欧阳横飞老师客气地搬来凳子……

家长见面会就这样开始了。

本来计划好好的，没想到……十分钟后牛肉脯牌"公文包"饿了，包里发出咕咕叫的声音，他忍不住把欧阳横飞老师桌子上装着女朋友照片的相框，变成牛肉脯吃掉了。接下来我的嗓音有点恢复正常，再然后哈智慧的 DNA 排列好像出了点小问题，我下巴上的胡

子像韭菜一样，开始沙沙沙沙地长个不停……

不过，最后还是要感谢曹操，关键时刻他变成磨砂玻璃捂住了欧阳横飞老师的眼睛，我说自己有急事赶快溜走，这才没有彻底露馅。

欧阳横飞老师一定以为自己睡眠不足头晕眼花了，而我，把这次家长见面会命名为：史上最危险的盗版老爸历险记。

希望以后不会再有请家长的事情发生。

尖嗓门公开赛

11月20日

天气： 火球挂在高高的树梢

心情： 打着转转

做小孩真好，我们可以想象各种有趣的事情，更好玩的是，这些事情可以实现。

就比如说今天的"尖嗓门公开赛"，就是我们自己发明的，所有场景和道具，也都是我们全班同学一起想象出来的。

但为了公平起见，比赛的时候谁都不许变来变去，只许使用嗓子。

我觉得，比赛第一关很简单，就是站在馒头山向1万公里以外的窝头山喊出自己的名字。窝头山上站着裁判小米，她把能听到的名字记到本子上，就算顺利过关了。

"不太难嘛！"我的同桌曹操和我一起进入了第二关赛场。

我和曹操不仅是同桌，还是邻居。

老妈说我们是在一个幼儿园的一个婴儿车里长大的。那时他就比我高半头，睡觉的时候还经常把脚丫

子塞进我嘴里。

多亏我记性不好，已经记不得有这样恶劣的事情发生，否则我一定会咬掉他的脚指豆。

曹操总喜欢在我老妈跟前告状，"朵朵今天又打架了，唉，一点女孩子样都没有，她根本不听我的劝告。"

真讨厌，如果他不告状，老妈怎么会知道我没有女孩子样呢！虽然我的头发经常被抓乱，鞋子经常剩一只，毛衣经常会脱线，眼睛上经常出现一大块含蓄的淤青。

我心里暗想：等着吧，今天的比赛我一定超过你。

第二关是用声音制造海浪。

蓉儿的拍照眼负责拍照。她坐在沙滩上，看谁的尖叫声能让海浪腾起得更高。

不用说，我喊出的海浪直接就盖在了"裁判"的脑袋上，顺利过关。

第三关难度大一点，用一个字来炸气球。

我的声音向来很尖，这都是我发现文具盒里有鼻涕虫或者看到脸上起小豆豆时练出来的尖叫。

我喊出"啊"的一声，就炸响了 88 个气球。曹操的成绩也不错，他只喊了一声"嘭"，88 个气球也一个不剩了。

比赛进行得相当激烈，赛场上传来了此起彼伏的"噼、啪、嘭……"

经过这三项比赛，女生里的小米、于小巧她们都被淘汰了，男生里闯过前几关的牛肉脯中途退出，他说他喊饿了。

所以，最后只有我和曹操顺利晋级。

"怎么样，是不是觉得我威胁到了你的冠军宝座？"曹操酸溜溜地说。

"一点都不！"我自信地来到了第四赛场。

勇闯火龙山可是关键的一关，我们乘坐想象出来

的热气球飘到火龙山，很快就看到一只巨大的火龙被关在一个玻璃罩子里。它在里面大声吼叫，我们却什么都听不见。

"这是谁想出来的高难度啊，"我抱怨道，"一定是隔音玻璃，震碎它才行。"

"看来我们要一起才能震破这个玻璃罩子了。"曹操也发现这个比较难了。

我看了一眼下面隔音玻璃里的火龙，现在要做的是，必须把它放出来，因为只有这只火龙知道最后一关的比赛题目。而凭我们现在的嗓音，想要独立震破玻璃，确实很困难。于是我接受了"对手"的建议。

我们选择好方位，运足了气，朝着玻璃罩子一起尖叫起来。

随着尖叫声，玻璃罩子表面出现了蜘蛛网似的密密麻麻的裂纹。

看到有了成果，我们又一起用力大喊一声，像一声响雷似的，小的裂纹"咔嚓"一声变成了大裂缝，接着又"咣当"一声，玻璃罩子裂成了两半。

火龙高兴地走了出来，也许这种神奇又危险的动物只能出现在我们小孩的想象里吧，只见它兴奋地满地打滚，腾起一大片灰尘，还激动得鼻子里喷出火来……

我正满心欢喜，心想，马上要进入比赛的最后冲刺了！

忽然我感觉脸前一热，不好，火龙喷出的火焰竟然不小心烧着了我们的热气球，曹操也惊恐地看着我，我们快速坠落下去。

忽然，曹操用力推了我的竹筐一下，我的热气球顿时向左偏离了一点，脚下正好是山顶。而曹操的热气球被反作用力向相反的方向推去，那是深不见底的山谷的方向。

"曹操！"我伸出手却怎么也够不着他。他也伸着

手，却快速地坠落下去……

轰隆一下，我落到了山顶上，这可怎么办？我惊慌失措地对火龙说："救救他呀。"

"你说什么？"火龙慢悠悠地说，"他不是你的对手吗？"

我急得大叫："还不快点，曹操快要掉下去了！"火龙歪着脑袋想了想，要是平时我早就去踢它的鼻子了，可惜它是我们想象出来的动物，根本踢不着。

"好吧。"火龙终于说出了两个字。

一秒钟后，曹操被火龙带回了山顶，他的脸被黑烟熏得像黑风怪一样。

"别忘了，接下来你们还有最后一关比赛哦！"火龙弯下长脖子说。

我心有余悸地看看曹操："还比吗？"

曹操也看看我，说："不比了，我让着你，就算你第一，我承认你的嗓门比我尖。"

最后一关比赛真的没有进行，但这个我们自己发明的比赛却有了两个并列冠军。

五脏六腑七上八下

11月30日

天气: 颠来晃去的季节

心情: 水淋淋

今天牛肉脯把我的靠垫变成牛肉脯吃掉了，我气得朝他大叫："这可不是一般的靠垫。"

"一般一般，全国第三。"牛肉脯一点都没有惭愧的样子，还故意气我。

"我要发怒了！"我气得张牙舞爪，像个实习的小女巫。

"不怒不怒，喝多也吐。"曹操也跟着瞎起哄，男生都大笑起来。

这下我更生气了。要知道，这是我用了半个月的课间十分钟，辛辛苦苦绣出来的十字绣靠垫。被牛肉脯这么扑哧一变，啊呜一口，咯吱一嚼，咕咚一吞，就下肚了。

"如果你一直这么疯狂地吃牛肉脯，一定会变成一头牛的。"我用力踢了两脚牛肉脯的凳子。

牛肉脯呵呵地傻乐着，"变成牛也不错，老师批评不会脸红，还有牛皮吹。"

在我们班，这样的话是不能随便说的，因为很可能变成现实。

你看，我还是说晚了吧，牛肉脯已经变成了一头牛，正瞪着一对小黑豆眼睛看着曹操。

"伙计，你看我干吗，咱们可是一伙的。"曹操用两只手的食指一起指向我，"是潘朵朵把你说成牛的。"

可这头牛的眼睛还是一动不动地瞪着曹操，鼻子呼呼地喘着粗气，眼中还冒出了火。

"不好！"曹操这才意识到什么，撒腿就跑。牛肉脯变成的牛猛蹬两下后蹄，从后面追了过去。

这回轮到我们女生哈哈大笑了。

谁让曹操不好好戴红领巾，把红领巾蒙在嘴上装蒙面大盗呢！他还抢了丁一的红领巾包在头上，说海盗都是这么酷。

这下可好，牛肉脯变成的大公牛看到曹操的红色，一下子失去了理智，开始紧追不放。

"救命啊！"曹操边跑边大叫着，"我还不想当斗牛士。"大公牛追红了眼，根本听不见曹操说话。

　　曹操翻过桌子，跳过椅子。牛角就掀翻桌子，顶倒椅子。教室太小了，曹操稍不留神，就被牛角戳到屁股上，像火箭一样蹦起来。

　　蓉儿指挥着我们女生哼起了《西班牙斗牛曲》，这下子，场面更热闹了！

　　"帮我呀，老哈！"曹操捂着屁股龇牙咧嘴地大叫。

　　"改变牛不喜欢红色的基因不太容易，我还是改变教室吧。"哈智慧说着敲了几下桌子上的内置键盘，教室的墙壁马上换成了橡胶 DNA。

　　四个又高又胖的男生在四个墙角用力推，正方形的教室像一块空心牛皮糖一样，被越抻越大，这下曹操有足够的逃跑空间了。

　　曹操被追得晕头转向，好半天才想起自己是会隐身的。于是他变成了玻璃人，从牛肉脯眼中消失了。

变成公牛的牛肉脯鼻子里噗噗地冒着白气，左找右找，忽然原地跳了起来，用力地抬后腿，拱后背。

我们正纳闷呢，就听到牛背上传来一个声音："别想甩掉我！"

一定是曹操变透明后，骑到了牛背上。

"我是最勇敢的斗牛士。哎哟！"

"停下来，笨蛋，我是曹操。妈呀！"

我们听到一声声的惨叫。

"快看快看，曹操的屁股快摔八瓣了。"蓉儿用透视眼拍下了"曹操斗牛"的精彩瞬间。

第一张是曹操抓着牛角飞在半空中，第二张是曹操掉下来，第三张是他狠狠地摔到牛背上，龇牙咧嘴，颠得眼泪都快出来了。

蓉儿像魔术师一样拿出更多照片，后面的照片都是重复这三张的样子，我想，曹操被颠得快散架了吧。

半个小时后，牛肉脯变成的牛终于恢复成了牛肉脯。他累得坐在地上直喘气。我小心地对他说："不错，我是故意帮你减肥的。"

牛肉脯感动极了："潘朵朵你真好，下次我再也不吃你的靠垫了。我要吃曹操的靠垫，谁让他一直坐在我背上，让我背来着。"

"你你你……"曹操也坐在一边上气不接下气，"你这个叛徒，竟然不站在男生这边。我怎么这么倒霉呀！"

"还有更倒霉的呢！"于小巧拿着一张曹操被颠起来的照片说："我发现你的五脏六腑被颠得七上八下了。"

千万不要怀疑于小巧的话，再细小的东西都会被她的显微镜眼看得清清楚楚，关于五脏六腑的位置，于小巧就像熟悉世界地图上各大洲的位置一样清楚。

曹操吓坏了，充满期待地看了一眼哈智慧。哈智慧挠挠头，"可是我擅长的是排列 DNA，这个……"

于小巧小声说："我倒是有一个办法……"

"快说快说，我可不想肠子上面打出个蝴蝶结。"曹操发誓说，"你要是帮我，我再也不欺负女生了。"

切！我才不信，这句话我听了不下 100 遍了，曹操现在不是照样喜欢给我们女生捣乱。要是我，我才不帮他呢。

还是于小巧好说话，她说出了自己的办法。

"因为剧烈的颠簸，你的五脏六腑才七上八下了，想要恢复，只能重颠一遍。"

"别看我，我可跳不动了。"牛肉脯干脆躺在地上不起来了，把在地上流淌的大张伟的路挡得严严实实。

"我该怎么办啊！"曹操绝望地大叫。

"凉拌呗！"我也故意气他。

不过话说回来，我们女生可都是豆腐心肠。于是我向曹操"噗"地一下，把他变成了一只跳跳蛙，他开始一刻也不停歇地跳跳跳。

希望在今天放学之前，他的五脏六腑能恢复正常

吧！

外星人光临

12月1日

天气： 就不告诉你

心情： 乱蓬蓬

"有一个外星人来咱们学校了，我是说一个，大批的还没到。"学校走廊里，曹操变成透明的隐形人，在我耳边小声说道。

"好吧，那你想怎么样？"我假装若无其事地边走边说。

他根本不回答我的问题，仍旧自顾自地说："一定是欧阳横飞老师隐瞒了实情，我不知道学校为什么要隐瞒？"

"也许外星人长得太丑，怕吓坏了一年级的同学。"我尽量压低声音，"那么你想怎么样？"

"那些飞碟碎片被藏到哪里了呢？一定和严格保密的期末卷子藏在了一起……"

"你到底想怎么样！"我站在走廊里大喊一声，来来往往的同学都停下脚步朝我投来惊异的目光。他们不知道我一个人站在这里，为什么要大喊大叫。

我满脸通红，赶快溜回班级。

都怪这个讨厌的曹操，今天已经和我说了一万遍外星人、外星人了。

我气鼓鼓地走进教室，没想到竟然真的有一个外星人坐在我的座位上。

"我的天啊！你是外星人？"我惊讶地捂住了嘴。

"我的天啊，我是外星人！"外星人也过来捂我的嘴。我连忙推开他，他的手有股葡萄蛋挞的味道，我怕忍不住咬上一口。

小米的耳朵猛地竖起来，自言自语地说着："外星人光临我们班了？"

于是不到一秒钟，全班都知道了这个消息。

哈智慧第一个冲过来，揪了一根外星人的头发，说要研究它的DNA组成和排列。

外星人以为这是打招呼的方式，于是嗖嗖嗖嗖，揪了我们每人一根头发，疼得我们龇牙咧嘴，尖叫声一片，好像我们班被吃人的外星人袭击了一样。

181

小米伸长耳朵，说她要听听外星人会不会用肚子说话。外星人也学着小米的样子拉长了自己的耳朵。耳朵们砰砰砰砰，都顶到了教室屋顶上。

"哎哟！"小米忽然大叫一声。

原来楼上的同学拉开了我们屋顶的拉链，一把抓住了小米的耳朵说："敢敲我们的地板？没收了！"

丁一虽然最爱伸腿绊女生，但他可不允许别人欺负自己班的同学。他气得伸出长长的橡胶胳膊，"呼"地给了他们一拳。楼上的同学惨叫一声，双手捂住了自己的熊猫眼，小米趁机收回了耳朵。

"好玩好玩！"外星人也想学着丁一挥一拳，可惜屋顶已经被合上了。

外星人失望地看着我说："那么，你会做什么？"

我不好意思地摇摇头，"我什么都不会，只会一个笨办法，那就是和孙悟空一样，'噗'地吹一口气。"说着我朝曹操 79 分的卷子上噗了一下，他的分数马上变

成了 99 分。

"太有用了，快教我。"外星人激动得啪嗒啪嗒直落泪，我想，这一定是他们高兴的表现。

在外星人和我学"噗"的本领时，曹操走了进来。

他看到外星人先是一愣，紧接着像触电一样跳起来，冲过去捶了外星人的肩膀一下，"外星人，我就知道你能来！我自制的外星望远镜看到你的飞行器了。"

接着他挑衅地看了我一眼，"我说什么来着，你还不信。"曹操开心地变成了玻璃人，从我们眼前消失掉了。

我用鼻子哼了一声，意思是说：有什么了不起，还不是我先看到的！

可外星人却大叫起来："真是了不起！我也可以这样变成透明的吗？"

"原来你大老远来到地球，就是要拜我为师的，没问题！"曹操这下更骄傲了，虽然看不到他的表情，但我能感觉到他身上散发出的热气，像开水一样咕嘟咕嘟冒着泡泡。

如果我告诉曹操说，他进班级之前，外星人已经向很多人学过本领了，曹操会不会很失望？失望到一下子冷却下来。

我可不会这么残忍，害得我的同桌患感冒。不过，这个外星人真得很好学，他真的开始和曹操学隐身了。

只可惜，外星人的身体需要随时吸收太阳能，虽然他隐了身，可我们还是能看到一大团暖暖的光球在到处走动。

外星人没能跟着曹操一起恶作剧，这令他很沮丧。

"我不能隐身去捏女生的鼻子，也不能钻到桌子下把男生两只鞋的带子系到一起了。"外星人说。

"恶作剧有什么好玩的，你来地球到底有什么事？"还是班长蓉儿厉害，一下子就问到了关键问题。

外星人挠挠头，"没什么事情可做，我什么都不

会。"

"你有太阳能啊，可以制作太阳能热水器。"小米提醒外星人。

"太土了。"曹操跳着脚说，"要制作太阳能汽车，去参加 F1 汽车拉力赛！"

"太阳能热水器用处大……"

"太阳能汽车跑得快……"

曹操和小米吵起来了，进而又发展成了男生和女生之间的战争。

外星人无助地拉着我，也要和我打嘴架，因为他觉得挺好玩的……

我有点小失望，原来外星人不像我想象的那么神秘，他们只知道模仿别人，和大猩猩一样。

考恐龙学家

12月3日

天气：冷风硬邦邦

心情：古色古香

曹操今天不知道吹什么风，一进教室就拿着放大镜东看西看。"哇，潘朵朵，据我观察，你的橡皮是宋朝的！"他大叫着。

我瞪了他一眼："没错，是我姥爷昨天送我的。"

明知道我在讽刺他，这个家伙一点也不灰心，又跑到牛肉脯跟前，一把抓出他书桌里的牛肉汉堡："这个牛肉汉堡是远古时代的，你要相信考古学家的眼睛。"

牛肉脯有点担心，他像小狗一样小心地闻了闻汉堡，一口咬了下去。"嗯，还好，还好，虽然那么久远了，还没变质。"

"你你你，竟然吃古董，真是无药可救了。"曹操煞有介事地摇摇头，又去摸哈智慧的桌子。

"紫檀木的质地，哈智慧，快告诉我，你是从什么时候开始收集古董书桌的。"

哈智慧挠挠头说："大概从一年级开始吧，我从没

换过座位。"

"高人！"曹操伸出大拇指，"你才是古董的行家。"哈智慧被说得一愣一愣的，真的上网去搜索，自己的桌子是什么年代的了。

曹操拿着放大镜继续观察，他忽然眼睛一亮，冲到大张伟跟前，从他融化的屁股下面拿起了一根白色的小东西。

"谢谢你，我说怎么扎扎的。"大张伟高兴地扭了扭屁股，流回座位了。

"这个可是……"曹操拿放大镜看了又看，忽然跳到桌子上大声宣布道："从现在开始，专业的考古学家，不，是专业的考恐龙学家诞生了！如果你们崇拜我，可以来看一看我发现的恐龙骨！"

几个同学连忙冲过去，想看一看恐龙骨到底长什么样。我也踮起脚尖偷偷瞥了一眼，曹操手心里放着一块月牙形状弯弯的小骨头，说是小狗牙还差不多。

我鼻子里哼了一声，却被曹操听到了。

"怎么，不服气呀！"曹操变成玻璃人，忽然撞了我一下，真可恶。

我大叫起来，"这算什么恐龙骨，哪有这么细的恐龙骨啊！"

"当然有。"曹操像模像样地用放大镜照着说，"据考恐龙专家曹操鉴别，这是鱼龙的骨头。不信，让于小巧的显微镜来验证一下。"

于小巧不好意思地推推眼镜，看了又看："嗯，有点像是……骨头，上面有很多透气的小孔。"

那也不能证明就是恐龙的骨头呀，我一百万个不服气。

曹操摆出一副绅士的样子说："好吧好吧，我让着你。"他说这个就算不是恐龙牙齿，也是肥胖霸王龙的指甲，要不就是狂暴的雷龙的肉刺，或许是阴险剑龙尾巴尖上最小的骨头。

潘朵朵的魔幻日记

丁一忽然从最后一排伸过手来想抢过这块小骨头看一看，结果刚一拿就被扎得哇哇直叫。

"哎呀妈呀，竟然进攻我。果然是恐龙，连骨头都这么厉害！"丁一把手收回去，一个劲地哈气。

牛肉脯也嚼着牛肉脯说："对对，考古电影里古董们都会被各种暗器保护着。恐龙骨头也是古董，它自己一定就是暗器。"

这下曹操更得意了，他挥着手中的小骨头说："所以，作为专业的考恐龙学家，我决定把这个珍贵的恐龙骨头上交国家。"他飞快地看了我一眼，"潘朵朵，你可不要眼红哦。"

"我才不眼红呢，这更像是我吃的带鱼鱼刺。"我可不是故意气他，我记得清清楚楚，中午的营养午餐里确实有带鱼。

"你这是嫉妒！"曹操不服气，抢走了于小巧的显微镜眼镜，说考恐龙学家要进一步研究恐龙骨。于小巧急得直摇头，结果曹操"咣当"一声倒在了地上。

你猜发生了什么事？

其实只是于小巧摇头时头皮屑飞了起来，曹操以为是硕大的白色陨石朝自己砸来了呢，吓得晕了过去。

哼，就这么点胆子还考古呢，还是晕倒吧。

不过，今天恐龙真的来我们班了，可惜不是活恐龙，是博物馆里的恐龙骨架，所以我们根本分不清它到底是什么龙。

恐龙骨架在曹操头上敲了一骨棒，上牙齿碰到下牙齿，嘎巴嘎巴地说："考考考，我们最讨厌考试了。你要是还想做考恐龙学家，我就叫兄弟姐妹们一起来，每人给你一骨棒！"

可怜的曹操想解释自己说的不是考试的考，是考古……话还没说完，又挨了一骨棒。

看来，想做一个考恐龙家真不容易，要经得起打击才可以。

潘朵朵的魔幻日记

操场裂成两半

12月10日

天气：天空蓝得像大海

心情：紧得像皮筋

要说滑滑板，我敢保证我们班没有比我厉害的，包括所有傻大胆的男生。他们虽然胆子大，但我可是专门上过滑板学习班的。

老爸说，玩滑板能锻炼大小脑的协调能力。这样说来，相比被他们的老爸老妈逼着上英语学习班、钢琴学习班的同学，我算是最幸运的孩子了。

体育课自由活动的时候，我踩着自己的滑板，从操场的一头飞快地滑向另一头。

我的双脚紧紧贴在滑板上，"嗖"地一下横穿整个操场。等我潇洒地回头去看男生们羡慕的表情时，看到的竟然是——

一定是我滑的速度太快了，以至于随着我的滑行，操场竟然在我左右裂开了。像烧红的水果刀放在大块黄油上一样，操场、主席台、绿化带，瞬间在我的身后裂成了齐刷刷的两半。

我连忙提起自己的滑板，跳到其中一边，这才没

有掉到裂缝里去。

这下可闯大祸了，眼前这道裂痕足有几万米深。即使我会变化，"噗噗"地猛吹气，这么大的裂痕也足够我吹上半年了。

我的同桌曹操就爱和我作对，在我焦急万分的时候，他却兴奋地冲过来大喊："潘朵朵，是你干的吗？你是怎么切开的？"

"我不是故意的。"我惊慌失措地摆手，可曹操已经兴奋地跑远了。

"嗨，朵朵！"对面有人喊我，我抬头一看，是蓉儿，她被这道裂痕隔到另外一边了。

"我都拍下来了，很精彩，你真是好样的！"蓉儿边说边跳着脚朝我挥手。

可我一点都不觉得骄傲，反而担心地想，要是有一年级的小同学跑得太快停不下来，那可就危险了。

还好这时候曹操拉着哈智慧来看热闹，我把自己的担心告诉了他。

哈智慧也吓得脸像茄子一样紫了。他连忙调整了操场上大树的 DNA，让它们自己走到大裂痕两边，整齐地站好后，又哗啦一下，统一变成了红树叶。

这下好了，离老远一看就知道，这里站着一大排红色交通灯，小同学们都知道"红灯停绿灯行"的规矩，也就不会掉进裂缝了。

我长嘘了一口气。这口气还没出完，就听到对面有人吵吵嚷嚷。来的是三班足球队，他们班约好和我们班的足球队比赛来着，可现在两个球队被大裂缝隔开了。

"你们一定是故意的！"

"害怕就直说，认输吧！"

三班同学在对面嚣张地叫着。别说是我们班的男生足球队，就连我们女生都生气了。为了维护班级荣誉，看来今天的比赛非踢不可了。

于是，隔着大裂缝的足球比赛开始了。

因为两边队员只能站在自己的场地上，所以少了拼抢，他们的唯一任务就是不让对方进球。

只见我们班的丁一把脚抻长，盘成弹簧的样子用力一弹，紧接着用他的大长手把前锋牛肉脯抛了起来。牛肉脯把脚丫子变大十倍，借助弹力一记抽射，把足球踢到了对方场地。

对面的球员排成一排，一起跳起来用头来挡……这真是一场奇怪的足球赛啊。连体育老师都看得入了迷，忘记问这个大裂缝是怎么回事了。

就在大裂缝两边聚满了人观看比赛的时候，对方守门员却急得团团转了。

"这可怎么办，厕所在那一边，我要……我快憋不住了"

我这才意识到，去厕所是小事，放学后怎么回家才是大事。

因为学校大门在我这一边！比赛不得不暂停了，因为裂缝那边越来越多的同学想上厕所。

情急之下，我连忙拨通了桥梁专家的电话。

桥梁专家赶到我们学校后研究了这个大裂缝，最后得出结论说："架桥没问题。但从测量到设计图纸再到施工通行，最快也要半年。"

"半年？"丁一等不及了，他可是个热心肠。

于是丁一干脆伸长胳膊，在裂缝上架了一座面条桥；大张伟融化成冰激凌水，冲到对面后结成了一座冰激凌桥；而我则从校门口买了一串糖葫芦，噗地一吹，把它变成了巨大的糖葫芦桥……

越来越多的桥诞生了，这下，我们都可以自由地从桥上走来走去了。

"可是总要把操场合起来呀。"我们班的 CPU 哈智慧开始飞快地转动着脑子说，"看来得力大无穷的陈柯汗出马了。"

"不会吧,他可是破坏大王。"我惊讶地说。

"你才是破坏大王吧。"曹操指着大裂缝和男生一起哈哈大笑起来。

要是平时我肯定饶不了他,可现在这种情况,我只能保持沉默了。

还是哈智慧聪明,他把破坏大王陈柯汗的 DNA 排列顺序颠倒了一下,这样一来,破坏大王就变成了修理大王。

修理大王陈柯汗从欧阳横飞老师那里借来了针线,嗖嗖嗖嗖,三下五除二就把大裂缝缝起来了。

我们激动极了,都围过去夸他厉害。

陈柯汗却红着脸挤出人群挤到哈智慧身边说:"快把我调整回来吧,我可不要做这种女孩子的针线活了。"

"怎么样,这回服了吧,还是我们男生厉害!"曹操趾高气扬地掐着腰站在我面前,好像大裂缝是他缝起来的一样。

好吧，今天就算是男生赢了，我们女生不和男生一般见识。

秘密计划 ING

12月18日

天气： 易碎

心情： 透明

曹操简直太淘气了，他把丁一的胳膊打了个蝴蝶结；在我的书包里装了两块大砖头；假装不是故意踩在了大张伟的屁股上；还发明了"毒蝎功"掐小米的耳朵，把小米的耳朵捏得像白兔眼睛一样红。

　　更恶劣的是，他还抢走了于小巧的眼镜，害得于小巧一节课都坐得直直的，使劲盯着黑板看。下课后她揉着眼睛慢悠悠地说："没有眼镜，真的是一个字都看不见啊！"

　　班长蓉儿气坏了，把曹操的"恶行"都拍成照片，准备去报告欧阳横飞老师。

　　"证据都在这里，看你怎么抵赖！"蓉儿说着刚要出门，曹操忽然变成玻璃人冲了过来。蓉儿被他撞得一屁股坐进了垃圾筐，站起来时，屁股上还扣着个空筐子。羞得蓉儿满脸通红。

　　我大叫一声："曹操！有本事你现身！"可曹操太狡猾了，他根本不出声。

这可怎么办？

我们这些被曹操欺负的同学头顶头聚在一起，商量了一个专门对付曹操的"秘密计划"。"等着瞧吧，我们已经有对付你的秘密计划了。"上课时，我对身边的曹操说。

"哼，我才不怕！"曹操朝我吐吐舌头，"我曹操可是无敌大金刚！"

下课后，我们的计划开始实施。

曹操以为我们要围攻他，提前准备了充足的装备。口袋里全是粉笔头，手上抹着黏糊糊的胶水，连鞋底都擦了油，准备在打不过的时候溜之大吉。

可我们根本没打算进攻他，没把他压在屁股下面送他一顿拳头大餐，也没用塑料袋装满水做成水弹轰炸他。我们安安静静地各做各的，曹操反而等不及了。

"你们的秘密计划是什么，快点来呀！"曹操站在讲台上张牙舞爪。没人回答他。

曹操只能主动出击，他在于小巧喝热水时，学赵本山对眼。于小巧一点都没乐。

　　他把我语文书里的字抖得乱七八糟，我一声都没吭，自己的把字词摆回了原位。

　　小米伸长耳朵时，曹操故意说小米的头发像菜花，小米也没生气地拿拳头来捶他。

　　"难道我的隐形本领练到了顶级，不用变成玻璃人，大家都看不到我了吗？"曹操自言自语。

　　他看到我们用眼角偷偷看他，看到我们分喝秘密橙汁，说秘密语言，交换秘密眼神，就是不让他知道，我们准备对他采取什么秘密计划。

　　曹操有点心虚了，他躲在厕所给哈智慧打手机。本来是想打探消息，可淘气的细胞却让他忍不住学着电子播报的声音说："今天的天气预报是——学校要发生地震。"

　　不会吧？要地震！别看哈智慧脑子里装着电脑，

可他胆子特别小，放下手机连忙按照花岗岩的硬度加固了学校，这下别说地震，就是炸弹轰炸都不怕了。

结果他也被曹操愚弄了，曹操只是想要对着教室墙壁练习足球。加固后的学校墙壁可以把足球弹得更远。哈智慧好难过呀，要知道；曹操可是他的好朋友。

"我可以加入你们的计划吗？"

"没问题！"蓉儿和哈智慧握了握手，我们就是一边的了。

曹操更慌张了，他不知道我们到底要对他采取什么可怕的计划。但他又不想表现出自己很害怕，于是大声吆喝起来："谁来和我握握手，我就给谁一个惊喜！这可是肉……"

牛肉脯的好奇心膨胀开来，他想着：会不会是一块牛肉脯？会不会是一块超级大的牛肉脯？于是他乐颠颠地走过去和曹操握了个手。

"太好了，给你！"曹操一松手，一只大蚂蚱蹦到

了牛肉脯脸上。牛肉脯吓了一大跳。

"这算什么啊！"

曹操坏笑着说："难道你不惊喜吗？再说，蚂蚱再小也是肉啊！"

"真恶心。"就这样，牛肉脯也下决心加入我们的秘密计划的行列了。

一上午就这么过去了，我们从曹操身边走过，谁都不看他。他不管欺负谁，都没有人反抗。这样一来，曹操更觉得整个教室的空气都要凝结了，这个计划就像一个定时炸弹一样，随时都可能爆炸……

一下午又要过去，曹操终于忍不住了。

"我投降还不行！"曹操痛苦地摇着我的胳膊说，"你们到底要对我采取什么秘密计划呀？再恐怖我都想知道，千万别把我一个人蒙在鼓里。"

我微微笑着不说话，我偏不告诉曹操，我们的秘密计划就是——不搭理他。

耳朵冻掉了

12月23日

天气：姥姥说，这叫棉絮天

心情：凉飕飕

今天一到学校，几乎每个同学都在谈论昨天晚上吃了什么馅的饺子的事儿。

"我妈包的牛肉大葱汤饺，那叫一个美。"牛肉脯说着口水都流下来了，真恶心。

有什么可美的，我天天晚上睡觉前都烫脚，也没觉得有多美。我和蓉儿还是坚持我们的观点，三鲜馅饺子最好吃。

"大葱馅！"

"三鲜馅！"

看吧，我们女生和男生又产生分歧了。

"为什么你们都吃饺子呢？"小米忽然问道："难道昨天晚上下饺子雨了？"

"还下饺子汤呢。"曹操笑得险些摔倒，他稳了稳脚跟说，"昨天是冬至，冬至要吃饺子，你不知道吗？"

小米一脸疑惑地摇了摇头。

我想起来了，小米一家是从南方搬来的，南方人

过冬至，大概没有吃饺子的风俗吧。

果然让我猜对了，小米好奇地问我说："朵朵，冬至为什么一定要吃饺子呢？"

"冬至不吃饺子，冬天会冻掉耳朵的。"我说着还发出嘎巴嘎巴，两只耳朵都被冻掉的声音。

"真的吗？"小米有点害怕了，要知道，她可是我们班的八卦女皇，只要伸长耳朵，多远的声音都能被她听到。

"那还有假，我姥姥说的。她吃的盐比咱们加起来吃的饭都多。"

小米还想问点什么，可惜上课铃已经响了。她闷闷不乐地朝自己的座位走去，边走边嘟囔："这可怎么办呀，昨天冬至，我没吃饺子……"

曹操这个捣蛋鬼最喜欢吓唬人，见小米这么担心，他故意喊道："天哪，你没觉得你的耳朵就要掉了吗？"

哈智慧也坏笑着说："没关系，我会帮你改变

DNA，让你重新长出一对大象的耳朵。"

小米吓得脸都白了，连忙坐到位子上，捂住了耳朵。

本来我只是说说而已，没想到小米真的放在了心上。加上又被男生这么一吓唬，小米一节课都心神不宁的，还时不时地摸摸耳朵。

欧阳横飞老师提问她时，顺风耳小米竟然没听到。

"看你把小米吓的。"曹操碰了碰我的胳膊肘说。

"明明是你吓唬她。"

我从桌子下面狠狠踩了曹操一脚。

"明明是你们女生胆小。"曹操不屑地撇了撇嘴，在欧阳横飞老师转过身写板书的时候，他忽然变成玻璃人消失了。

不好，这个家伙一定又要捉弄人了，我还没来得及想办法，就看到小米好像屁股上长了弹簧一样，从座位上跳了起来，与此同时发出一声惨叫："救命呀，

我的耳朵掉了！"

"什么，什么耳朵？"欧阳横飞老师也被吓了一跳，连忙转过身来，看到眼泪汪汪的小米浑身发抖地站在原地，耳朵红红的。

"老师，我的耳朵掉了吗？"小米试探地问欧阳横飞老师，她甚至没有勇气自己去摸一摸。

"怎么会掉呢，长得好好的，只是有点红罢了。"欧阳横飞老师连忙拿着小手电走过来，把小米耳朵的里里外外照了个遍，没发现什么。

"也许是被飞虫咬了一下吧，别担心。"

安慰好小米，我们又继续上课了。

我瞪了一眼忽然出现在我旁边的曹操，压低声音说："是你干的好事吧。"

"只是轻轻拧了一下而已。"曹操捂着嘴坏笑着说，"还不如你们女生'拧耳大法'的一半功力呢。"

牛肉脯也转过头来凑热闹说："小米的耳朵要是真

211

冻掉了，我可以把它变成牛肉脯吃掉吗？"

我朝牛肉脯噗了一下，他的嘴巴就被一条拉链封上了。

哼，这些讨厌的男生，一点同情心都没有。

下课铃响后，大张伟抱着足球一阵风似的冲出了教室。他跑得太快了，快得化成了冰激凌，几乎是流淌出去的。

"哎呀，我的耳朵掉了。"小米又大叫起来。

一定是大张伟冲出去时扫了小米的耳朵一下，小米觉得耳朵一凉，就以为耳朵掉了。

我们都围过来安慰小米。

小米紧张地把自己的耳朵伸长，像往常一样转来转去："我觉得我的耳朵麻麻的，烫烫的，一定是要掉了，没有耳朵该多难看啊！"

蓉儿拍了张透视照片给她，"你看，骨头好好的，不会掉的。"

"我也没看到有要掉的迹象啊？连接的地方非常严密。"于小巧扳着小米的长耳朵左看右看。

既然于小巧说没掉，那一定就没掉。她可是拥有可以把物体放大 200 倍的显微镜眼睛啊。

"可我还是觉得耳朵难受，都怪妈妈不好，冬至没有给我包饺子吃。"小米捂着自己的耳朵，说什么也不去操场上做操。

"外面太冷了，我的耳朵会冻掉的。"她的头摇得像拨浪鼓一样。

蓉儿拿出自己的饭盒说："没事，我今天带了饺子，你吃吧。"

"可今天不是冬至啊，还是会冻掉耳朵的。"小米沮丧地低下头。

听她这么一说，我忽然有了主意。

"对了，我刚才没告诉你吗？我姥姥还说了，冬至第二天吃饺子更好，零下 100 度都不会冻掉耳朵。"

“真的？”小米将信将疑地抬起头。

“当然了，你没听说过十五的月亮十六圆吗？”我顺口说道，“这就说明，第二天的效果更棒！”

听我这么说，小米的脸上总算露出了笑容。她大口大口地吃了几个蓉儿饭盒里的饺子，然后和我们来到了操场上。

冬至过后的天气真的很冷，我们嘴巴里哈着白气做完了课间操，连忙搓着双手回到教室。

小米拿着蓉儿的小镜子左照又照，高兴地喊道：“太好了，我的耳朵真的没冻掉，我还是顺风耳。”

“那当然，我姥姥说的话能有错吗？她吃的盐比咱们加起来吃的饭都多。”

小米忽然神秘地趴在我耳边说：“据小道消息，吃多了盐的老人血压会升得比天都高，一定要转告你姥姥少吃盐！”

我点点头，八卦女皇小米又回来了，这可真好！